# EUCHARISTIE ?

## POUR UNE TABLE OUVERTE
## ET SIGNIFIANTE

**GROUPE D'APPUI À UNE TABLE EUCHARISTIQUE
OUVERTE ET SIGNIFIANTE (GATEOS)**

# EUCHARISTIE ?

## POUR UNE TABLE OUVERTE
## ET SIGNIFIANTE

**NOVALIS**

Auteurs :

AMBEAULT, Alain ; ARRUPE, Pedro ; FORUM ANDRÉ-NAUD (Joliette) ; FORUM ANDRÉ-NAUD (Montréal) ; FORUM ANDRÉ-NAUD (Trois-Rivières) ; GIASSON, Claude ; HOTTE, Robert ; LACAILLE, Claude ; LAPOINTE, Guy ; LAVERDURE, Gérard ; LEFEBVRE, Claude ; LEGAULT, Annette ; MAINVILLE, Odette ; MARTINEAU, Jérôme ; MOUVEMENT DES TRAVAILLEURS CHRÉTIENS (région Québec) ; PAIEMENT, Guy ; PERREAULT, Jean-Philippe ; POIRÉ, Marie-Josée ; PROVENCHER, Normand ; ROY, Marie-Andrée ; TURCOT, Gisèle.

Eucharistie ? Pour une table ouverte et signifiante est publié par Novalis.

Couverture et mise en page : Mardigrafe

© 2008 : Novalis, Université Saint-Paul, Ottawa.

Dépôts légaux : 3e trimestre 2008

Bibliothèque nationale du Canada

Bibliothèque nationale du Québec

Novalis, 4475, rue Frontenac, Montréal (Québec), H2H 2S2

C.P. 990, succursale Delorimier, Montréal (Québec), H2H 2T1

Nous reconnaissons l'aide financière du gouvernement du Canada par l'entremise du Programme d'aide au développement de l'industrie de l'édition (PADIÉ) pour nos activités d'édition.

ISBN : 2-89507-880-7

Imprimé au Canada

**Catalogage avant publication de Bibliothèque et Archives nationales du Québec et Bibliothèque et Archives Canada**

Vedette principale au titre :

Eucharistie ? : pour une table ouverte et signifiante

ISBN : 978-2-89507-880-7

1. Eucharistie - Église catholique.

2. Communion fermée et communion ouverte à tous.

3. Église catholique - Magistère. I. GATEOS.

BX2215.3.E82 2008   264'02036 C2008-941649-X

NOVALIS

# INTRODUCTION

**S**ans trop de formalités, les cinq initiateurs du blogue GATEOS ont convenu d'une rencontre durant l'été 2007. Le Congrès eucharistique international de l'été 2008 à Québec retenait notre attention. Le thème choisi, l'emphase mise sur l'adoration eucharistique et le déploiement théâtral ecclésiastique que ce congrès allait entraîner nous interrogeaient et nous laissaient songeurs. Tout cela ne détournera-t-il pas notre regard d'une réalité d'Église qui appelle davantage de lumière à sa base même, là où se font et se défont les communautés chrétiennes ?

Nous sommes donc quatre hommes et une femme engagés au cœur de la vie ecclésiale d'ici à oser espérer que cet événement libère une parole nécessaire sur l'eucharistie et son lien indéniable avec la communauté chrétienne. Libérer une parole, c'est en quelque sorte agir, faire autrement, pour que la table eucharistique soit, ou redevienne, l'espace risqué d'un mémorial rempli de vie qui donne de l'espoir à tous et qui rejoigne les personnes qui luttent pour leur dignité.

Notre première action fut de « mettre en ligne » un blogue. L'équipe s'est appliquée à susciter et à proposer des réflexions désireuses d'ouvrir un espace de dialogue et de partage d'expériences eucharistiques. Il ne se veut pas une contre-parole de celle du Congrès eucharistique. Notre parole est autre. Ni antithèse ni complémentaire, simplement autre, afin de se donner la liberté d'approcher le mystère de Dieu bien incarné dans cette vie. Sans prétention, nous nous inscrivons donc comme un **G**roupe d'**A**ppui à une **T**able **E**ucharistique **O**uverte et **S**ignifiante (GATEOS).

L'expérience de la « mise en ligne » du blogue fut révélatrice. Sous des signatures diverses, plusieurs textes ont été publiés. Toutefois, nous avons eu peine à atteindre l'objectif premier : susciter la réaction de nos lecteurs et de nos lectrices, élargir la prise de parole ouverte au partage d'expériences eucharistiques signifiantes. Bien que plusieurs personnes ou groupes de réflexion nous aient confirmé leur consultation régulière des textes, peu de gens se risquaient à offrir un commentaire. Nous cherchons encore le pourquoi. Avons-nous si peu à dire sur l'eucharistie… si peu à dire sur notre pratique eucharistique ? Serait-ce le moyen qui n'était pas approprié ? À chacun d'en tirer les conclusions.

Quoi qu'il en soit, nous avons ici regroupé les textes du blogue (parus avant la tenue du Congrès eucharistique de Québec) sous divers thèmes qui soulignent :

— l'état fragile de notre table eucharistique, son éloignement de la vie, l'exclusion institutionnelle dont elle souffre et qui restreint la portée de l'appel : « Heureux les invités au repas du Seigneur ! »

— Le caractère engageant du « Faites ceci en mémoire de moi ». Loin d'un isolement dans un acte privé avec Dieu, le mémorial nous relie profondément au geste du lavement des pieds, indissociable de la Cène. L'eucharistie nous invite au service les uns des autres, seul chemin pour créer la communauté et l'ouvrir à l'engagement dans la société. Le souvenir de Mgr Romero situe bien l'eucharistie au cœur des luttes humaines.

— Célébrer l'eucharistie, c'est s'engager avec d'autres dans un espace de réapprentissage à vivre. Les mots qui s'agencent pour appeler la mémoire des gestes du pain et du vin libèrent le désir de l'être humain. La communauté se redécouvre alors « corps du Christ » incontenable !

— La symbolique de l'arche, retenue en vue du Congrès eucharistique de Québec, porte-t-elle la marque de la longue marche du peuple d'ici vers une signifiance humaine devant Dieu, avec Dieu ? Pour ne pas en faire l'arche du désir de restaurer des expressions de foi et une pratique révolues, il serait souhaitable que le peuple puisse y reconnaître les expressions de son questionnement, de ses doutes et de ses convictions.

— On ne peut se rassembler en mémoire du Christ sans ignorer les autres tables de vie qui existent. Même si nos églises se vident, d'autres lieux de célébration existent, d'autres formes prennent racine. Les visiter, c'est entrer dans le grand mouvement de réconciliation au cœur même du geste eucharistique.

À l'instar d'autres groupes, le Réseau Culture et foi a convoqué, en mars 2008, un colloque sur le thème de l'eucharistie. La question de départ avait un effet provocateur, voire libérateur : le Congrès eucharistique : pour ou contre ? Dans un premier temps, nous reproduisons les interventions d'une théologienne, Marie-Josée Poiré, et de deux théologiens, Guy Lapointe et Guy Paiement, tous bien connus. Leur pensée donnera le ton à la seconde partie, les textes du blogue.

Le Congrès eucharistique international de Québec 2008 est un événement. Les initiateurs et les organisateurs sont bien conscients qu'un événement, à partir du moment où il est offert — *a fortiori* lorsque le caractère est international —, n'appartient plus seulement à ses seuls promoteurs. Les balises organisationnelles sont nécessaires, mais elles ne peuvent exclure d'autres formes de participations qui n'empruntent pas la grande porte désignée.

L'équipe GATEOS a la conviction profonde d'être, par l'apport de la réflexion de ses membres et d'autres collaborateurs et collaboratrices, partie prenante de l'événement! Non seulement nous y sommes, mais nous avons l'intention de favoriser que ce moment à haute visibilité se situe au cœur de la vie du peuple qui l'accueille.

Finalement, nous sommes bien conscients que cette collection de textes fait état d'une critique des orientations du Congrès eucharistique ainsi que de la situation actuelle de l'Église du Québec. Nous sommes ainsi en accord avec la pensée de l'Église qui rappelle aux fidèles que *selon le devoir, la compétence et le prestige dont ils jouissent, ils ont le droit et même parfois le devoir de donner aux Pasteurs sacrés leur opinion sur ce qui touche le bien de l'Église et de la faire connaître aux autres fidèles, restant sauves l'intégrité de la foi et des mœurs et la révérence due aux pasteurs, et en tenant compte de l'utilité commune et de la dignité des personnes* (Code de droit canonique, can. 212,3). À n'en pas douter, cette citation confirme notre conviction profonde d'être, à même notre réflexion, au cœur de l'Église!

L'objectif premier du groupe de réflexion GATEOS était de susciter la réflexion et le dialogue autour de l'expérience eucharistique. Nous laisserons les dernières pages de ce volume à M. André Gadbois qui saura nous relancer, chacun selon nos lieux d'appartenance, dans ce partage d'idées, de convictions et de vie qui recrée l'Église. Nous souhaitons garder grand ouvert l'espace où, nous en avons la conviction, l'Esprit nous interpelle.

Bonne lecture !

*Équipe GATEOS,*
*Alain Ambeault*
*Claude Giasson*
*Guy Lapointe*
*Claude Lefebvre*
*Gisèle Turcot*

# PREMIÈRE PARTIE

## LE CONGRÈS EUCHARISTIQUE : POUR OU CONTRE ?

Le Réseau Culture et foi désirant continuer la réflexion sur le sens de l'eucharistie a convoqué un colloque, le 1er mars 2008. Le thème : Le Congrès eucharistique : pour ou contre ?

Trois conférenciers ont été invités à éclairer l'assemblée de leur réflexion. Pour ou contre ? Ils ont situé leur pensée entre ces deux extrêmes…

# PROBLÉMATIQUE

Pour nous du Réseau Culture et Foi, le Congrès eucharistique international, qui se tiendra en juin prochain à Québec, soulève des interrogations importantes.

En effet, dans nos colloques de 2005 et 2006, l'accent fut mis avec force sur la célébration eucharistique comme mémorial du dernier repas de Jésus avec ses disciples. Le pain et le vin y sont les signes de son corps et de son sang, les signes de sa vie et de sa mort entièrement au service des hommes et des femmes, pour que s'accomplisse le projet libérateur de Dieu. Vie et mort ratifiées par la résurrection.

L'eucharistie, dans cette perspective, est essentiellement célébration communautaire d'un engagement, celui de Jésus. Et du même coup, elle est invitation radicale à la communauté de reproduire le même engagement, éclairée, renforcée par son Esprit.

Est-ce que le Congrès eucharistique mettra les accents aux mêmes endroits ? Plutôt que de célébrer l'eucharistie comme expérience d'une communauté vivante qui se laisse interpeller au sein d'un repas par le rappel des engagements concrets de son Seigneur, le toujours Vivant, va-t-on surtout célébrer Jésus dans le tabernacle ou l'ostensoir, en insistant sur la relation personnelle, sur l'adoration ?

Au lieu de mettre en relief les implications de la communauté entière dans le mémorial du dernier repas, veut-on surtout réaffirmer, à grands coûts, la structure pyramidale d'une Église où la masse des évêques et des prêtres en soumission totale au Pape est fortement valorisée par rapport au commun des fidèles ?

Quels avantages pastoraux l'Église du Québec peut-elle attendre d'un pareil événement ? Quels progrès dans l'annonce de la Bonne Nouvelle ?

Nous aimerions réfléchir à toutes ces questions avec l'aide de trois personnes-ressources qui bénéficient d'une longue expérience théologique, liturgique, pastorale. Nous leur avons demandé comment elles se situent personnellement face à ce Congrès eucharistique... Avec elles, l'occasion sera belle d'approfondir notre vision d'Église, notre foi eucharistique !

# POUR *OU* CONTRE ;
# POUR *ET* CONTRE

*Guy Lapointe, o.p.*

Quand je nous vois réunis aujourd'hui pour réfléchir sur l'action eucharistique et sur la tenue du Congrès eucharistique international de Québec, je me dis que rien que pour cette rencontre et pour toutes celles qui se vivent ici ou là, le nombre de dossiers, de livres et d'articles d'inégale valeur et de tendances parfois fort contrastées, je crois sincèrement que le Congrès aura été un bon moment pour, je l'espère, relancer une réflexion critique et favoriser des prises de conscience.

Du moins en ce que cet événement nous fait nous interroger encore une fois et porter la question : mais qu'est-ce donc que l'eucharistie ? Quel est son avenir ? Qu'avons-nous fait et que faisons-nous de la mise en œuvre — la mise en scène — de ce geste, de ce mémorial, de cette action dans les différentes communautés ? Que faisons-nous aujourd'hui pour que nos assemblées eucharistiques deviennent des moments et des lieux où l'on éprouve liberté et plaisir à se retrouver ? Quel est l'impact de ce geste dans la construction de communautés chrétiennes à même la mémoire de cet homme Jésus et de son désir d'ouvrir notre humanité ? Quel sens peut donc avoir ce vieux geste, souvent « emmuré » dans un rituel trop tôt sacralisé, parfois ressuscité d'une manière étonnante, souvent incompris et oublié, encore pratiqué ?

« Le Congrès eucharistique de Québec : pour ou contre ? » Telle est la formulation-choc de la publicité pour inviter à participer à cette journée du réseau *Culture et Foi*. M'est venue immédiatement à l'esprit la formule de l'émission de Télé-Québec : « Il va y avoir du sport ». Suis-je pour ou contre le Congrès eucharistique international de Québec ? Je me pose encore la question. Pour moi, cela n'a plus tellement d'importance. De toute façon, l'événement aura lieu. Ce qui me préoccupe le plus, c'est la question suivante : quelle intelligence de l'eucharistie, quels enjeux autour de la pratique eucharistique va-t-on ouvrir ou ne pas ouvrir tout au long de ce Congrès ?

Dans son petit livre sur les congrès eucharistiques sous forme de questions et réponses (Novalis, 2007), à la première question, « Qu'est-ce qu'un congrès eucharistique international », le cardinal Marc Ouellet répond : le premier but d'un congrès eucharistique international est de « rendre un culte publique et social à Jésus ». L'eucharistie, un culte publique et social à Jésus, n'y a-t-il pas là déjà une grosse interrogation ? Surtout quand on en fait le premier but. Est-ce vraiment cette dimension qui doit nourrir la symbolique eucharistique ? Que porte cette expression comme contenu et vision de l'eucharistie ? Le deuxième but vise à approfondir la connaissance de l'eucharistie chez les croyants et les croyantes ; le troisième but est d'inviter les congressistes à l'engagement dans la solidarité (p. 5-6). Personnellement, j'aurais au moins inversé l'énoncé de ces buts.

Cela dit, la tenue de ce Congrès, qui a aussi des allures de festival, peut avoir du sens, si cet événement travaille, même dans sa dimension spectaculaire, à l'intelligence de la pratique de l'eucharistie. En faire un temps de réflexion, mais aussi un temps de créativité. Qu'en sera-t-il ? Je n'ose pas croire — mais la réalité est là — que cet événement puisse être un moment prétexte pour restaurer l'ancien imaginaire religieux ou pour retarder les transformations structurelles qui s'imposent dans l'Église. En somme, souligner et donner crédit à une tendance qui cherche un retour vers un passé révolu.

Sera-ce un autre de ces moments où le spectacle occupe toute la place, où les affirmations sont exprimées avec force : « Oui, nous existons encore comme chrétiens : voyez comment, venus de bien des coins de l'univers, on se ressemble encore… Voyez comment l'eucharistie rejoint les gens, surtout les jeunes [qui seront nombreux à ces manifestations]… Est-ce que tous se sentiront invités, et partant reçus, à la table de l'eucharistie ?

La tenue du Congrès eucharistique, qu'on soit d'accord ou non, constitue un bon exemple de ce qui peut provoquer à la réflexion, au débat, à la révision de nos expressions de foi et de sens. L'intelligence chrétienne d'aujourd'hui exige une reprise des sources profondes de ce moment de la foi qu'est l'eucharistie comme mémoire de l'homme Jésus. Si l'eucharistie est une ouverture à la transcendance, elle est aussi ouverture à la mémoire d'un homme qui vécut une telle implication sociale dans son milieu qu'il en fut dévoré vivant. Comme on le dit d'une personne sur qui reposent des attentes humainement démesurées et qui entend, au risque de sa vie, les réaliser jusqu'au bout pour que l'espérance, elle, ne meure pas. C'est cette mémoire subversive d'un soir d'un repas partagé que nous voudrions retrouver. Jésus a même accepté de partager le pain et la coupe avec celui qui allait le trahir.

## Et le Congrès là-dedans ?

J'ai bien lu *L'eucharistie : don de Dieu pour la vie du monde : document théologique de base du Congrès eucharistique international de Québec*, repris dans un document plus facile d'accès : *Le JMJiste* en 200 phrases. J'ai lu avec plaisir et grand intérêt le dossier intitulé « Eucharistie et société » de la revue *Relations*. Aussi le dossier tout récent du magazine *Présence* : « Eucharistie et solidarité universelle ». Et bien d'autres publications sur l'eucharistie, parues à l'occasion de ce Congrès. De tout ce que j'ai lu, c'est le dossier de *Relations* qui m'a paru le mieux inspiré et le plus inspirant. Toutes les collaborations apportent des points de vue originaux. Je pense en particulier aux articles du brésilien Jung Mo Sung intitulé : « Mémorial ou rite sacré ? » La question est fort bien posée. Je pense à l'article de Raymond Lemieux et de Jacques Racine « Une identité ouverte », me faisant penser que la présence eucharistique devrait être comprise comme une présence offerte, comme une venue, comme un ouvert. Enfin, pour notre propos d'aujourd'hui, l'apport de Jean-Philippe Perreault qui porte sur le Congrès comme tel : « Mise en spectacle ». Des réflexions pertinentes, bien ciblées. On ne joue pas dans une sorte de théologie abstraite, mais on pose les questions dans un contexte qui nous rejoint et nous parle, une ouverture vers une refondation de ce geste.

Quant à moi, je poursuivrai ma réflexion avec vous en trois temps : 1) la préparation du Congrès ; 2) l'ouverture faite par le concile Vatican II ; 3) mes souhaits et défis pour la suite. Trois temps d'une réflexion qui sera quelque peu décousue.

## La préparation du Congrès

À lire les documents qui ont servi à la préparation de ce congrès international, on y sent une volonté de faire vivre aux croyants un moment intense de réflexion et d'expressions vivantes et joyeuses de la foi en l'eucharistie et sur une pratique signifiante. Je sais toute l'énergie qu'on a mise et qu'on met à la préparation de cet événement. Mais à travers les médias, qui sont puissants, on le sait, l'interrogation persistante soutenue a été jusqu'à tout récemment de savoir si Benoît XVI viendrait ou pas. La réponse négative du pape pourrait faire en sorte que la structure pyramidale de l'Église en sera peut-être un peu moins impressionnante. Mais on verra bien à lui redonner toute sa place, je n'en doute pas. La venue d'un légat du pape, ce n'est pas rien, et la célébration de l'eucharistie de clôture du Congrès me fait peur, puisqu'on a toutes les chances d'avoir une eucharistie de l'extraordinaire, dans une expérience d'effervescence de la foule, si loin du quotidien de la vie et, si j'ose dire, de l'eucharistie.

Parlant toujours de la préparation du Congrès, je serais curieux de prendre connaissance des résultats d'un sondage qui serait mené auprès des chrétiens du diocèse de Québec afin de savoir qui connaît vraiment le thème ou mieux la ligne de fond du Congrès : « L'eucharistie, don de Dieu pour la vie du monde ». Quand, sur le programme, je lis que le Colisée de Québec a été nommé « cité eucharistique » pour le temps du Congrès, je reste estomaqué. Et quand je regarde la présentation du document théologique de base pour le Congrès eucharistique international de Québec, je demeure sceptique. Non pas que le choix des thèmes ne soit pas relié à une théologie qui semble saine : eucharistie don de Dieu et mémorial de la Pâque du Christ, l'eucharistie pour la vie du monde, l'eucharistie et la mission, l'eucharistie au cœur du monde. Mais comment ces grandes dimensions énoncées traversent-elles une pratique signifiante du geste de partage en mémoire de Lui et de la vie ? Je doute… et j'espère qu'on puisse, à même ces dimensions, éclairer et rejoindre, pour les renouveler, les pratiques eucharistiques.

Heureusement, il y aura, précédant ce congrès, la tenue d'un symposium de théologie sur l'eucharistie. Tant mieux ; cela est nécessaire. Et il y aura certainement d'excellentes interventions. Je veux bien croire que le Congrès doit reprendre les dimensions théologiques centrales, mais de quel type de catéchèses seront faites ces rencontres ? D'ailleurs — une remarque en passant –, parcourant le programme on est en droit de se demander où sont les théologiennes et théologiens ou catéchètes du Québec parmi les personnes qui vont intervenir lors de ces journées. Pas tellement de noms… Comment va-t-on rejoindre l'expérience des croyants et des croyantes d'ici et d'ailleurs dans ce congrès ? Les conférenciers et conférencières auront-ils à cœur de présenter une théologie contextualisée de l'eucharistie ? Et comment pourront-ils le faire dans un tel contexte de spectacle ?

À l'étape de préparation où nous en sommes, on peut voir que l'orientation prise est marquée par de grandes célébrations eucharistiques, mais aussi par des zones, des lieux, des moments intenses d'adoration. On ne crée pas seulement des lieux de silence, où la présence discrète peut soutenir certains dans leur quête et méditation, mais on risque de faire de l'adoration un véritable culte, une sacralité. Cela m'inquiète.

Il y a tout ce qu'on remet « à la mode » : saluts du Saint-Sacrement, heures d'adoration, communion sur la langue, à genoux. Le pire est que ces attitudes retrouvées se vivent dans des lieux dits de formation, comme nos séminaires, en dépit de la résistance de certains formateurs qui bientôt s'épuiseront ou abdiqueront. Plusieurs jeunes se donnent une autoformation en parallèle, presque en réaction à la formation officielle, à l'aide de vidéos, de ressources des bibliothèques, avec le soutien des éléments conservateurs en place.

Je suis porté à penser que l'intelligence chrétienne d'aujourd'hui exige avant tout une reprise des sources profondes de ce moment fondateur de l'expérience de foi en Église, une découverte de leur originalité pour le temps présent, la recherche d'une traduction contemporaine de leurs effets sur la vie quotidienne d'hommes, de femmes et d'enfants en chair et en os.

## L'ouverture apportée par le concile Vatican II

Je rappellerai la grande affirmation de la Constitution sur la liturgie : « La liturgie est le sommet auquel tend l'action de l'Église, en même temps que la source d'où découle toute sa vertu. » Et quelques lignes plus loin : « C'est donc de la liturgie, et principalement de l'eucharistie, comme d'une source que la grâce découle en nous » (n. 10).

Pour parler de la liturgie, et plus spécialement de l'eucharistie, la Constitution sur la liturgie a utilisé les mots « source » et « sommet ». Deux termes qui ont été probablement les plus commentés. Et pour tenter de nous faire redécouvrir l'eucharistie comme source et sommet, de grandes images ont été mises de l'avant par le concile Vatican II dans sa Constitution. Celle de *l'assemblée*, qui est première dans la célébration de l'eucharistie ; celle de *la table* autour de laquelle on est invité à partager le pain et la coupe en mémoire de Lui ; celle aussi du *tabernacle* qu'on a voulu déplacer de la table principale pour plus de discrétion, retrouvant sa fonction première pour les malades et les mourants.

Voilà où devrait se faire le travail. Si on parle d'*assemblée*, on parle de croyants et de croyantes, prêtres et laïques, qui s'impliquent à leurs manières, qui « font » l'assemblée, premier lieu de la présence des membres qui se savent et se sentent invités, capables de se reconnaître et de juger, en leur âme et conscience, de leur propre participation à la table — pas besoin ici de règles d'exclusions automatiques.

Si on parle de *table*, c'est pour rendre possible un véritable geste de partage en mémoire de la vie et de la mort de Jésus, et aussi pour pouvoir ensemble écouter la Parole, la partager. Cette table, comme toute table, suppose une dimension d'intimité, de proximité, intimité et proximité entre nous et avec le Dieu de Jésus. La symbolique de la table nous renvoie à la qualité de communion et de présence « réelle » d'abord autour de la table eucharistique et en même temps dans le monde, à même la mémoire de Jésus. Jean-Paul Audet affirmait qu'il serait souhaitable de connaître le prénom de baptême de chacun. Donc, une assemblée à dimension humaine et une vision inclusive de l'eucharistie et non une vision exclusive.

Une table où le récit, le geste de partager le pain et la coupe en mémoire de Lui, en mémoire de nous est un geste qui peut se réaliser. C'est ce geste de briser le pain qu'il faut redécouvrir pour que cela exprime comment la vie, notre vie en Église et en société n'a de sens que dans le partage et dans la mémoire de cet homme qui est allé au bout de lui-même. (Et non pas le geste que l'on fait encore trop souvent d'aller chercher le pain tout préparé d'avance « avec Jésus dedans »…)

Au concile Vatican II, on a donc pris le risque de rouvrir l'eucharistie pour en faire une mémoire du Christ et du monde dans toutes ces dimensions. On a voulu réhumaniser le geste de l'eucharistie.

Le Congrès eucharistique aura, comme le disent les documents, une *Statio Orbis*, une célébration de l'Église universelle. C'est ainsi qu'on désigne la célébration de clôture. Or ce que je sens de ce Congrès, avec cette insistance sur la dimension universelle, c'est encore une fois le risque de saisir l'eucharistie dans sa seule sacralité, mettant la dimension humaine en retrait. Quelle sera la force parlante du mémorial ? Qu'est-ce qui va me reconstruire ?

Désencercler l'eucharistie et en quelque sorte désacraliser ce rituel pour le redonner à la vie, à la table des croyants et des croyantes. L'eucharistie n'est pas un en-soi. C'est en célébrant que l'on peut découvrir ce qu'est l'eucharistie, en se retrouvant autour de la table, lieu de mémoire et d'apprentissage du geste de partage, lieu d'humilité, lieu de la non-exclusion où tous devraient se sentir invités. En somme, retrouver une convivialité, une intimité, une certaine proximité dans le geste.

Pendant le Congrès eucharistique, verra-t-on seulement le geste du partage du pain et de la coupe, le geste d'un pain ordinaire qui prend sens à même la célébration : on le partage en mémoire, une mémoire qui fait que l'humanité du Christ rencontre notre propre humanité ?

L'enjeu de la mémoire. De quoi s'agit-il ? D'un souvenir de cet homme, de cet humain qu'on a dit d'une manière sans pareil, fils de Dieu ; il s'agit de cette mémoire qui nous rejoint et nous enjoint de redire et faire à notre façon les gestes de vie qu'il a voulu faire. Ce souvenir construit aussi notre avenir.

## Mes questions et défis pour la suite

Il s'agit d'un Congrès eucharistique international… N'aurait-il pas été plus pertinent de partir d'expériences de célébrations eucharistiques vécues dans divers pays et diverses cultures ? D'observer, de partager ces expériences et d'en donner une interprétation, tout en comprenant mieux le repas de la Cène, pour en saisir les significations aujourd'hui ? Une réflexion théologique contextuelle. Je souhaiterais que les gestes de ce Congrès soient des gestes de personnes et de groupes qui partagent autour de la table, qui aient une action pour aider les autres qui ont faim, qui ont à reconstruire la vie.

À bien regarder le programme, on insiste beaucoup au cours de ce Congrès pour promouvoir les lieux et les moments d'adoration. Lieux et moments que je respecte par ailleurs.

Et comme l'écrit Jean-Philippe Perreault, cette insistance répond bien à une individualisation du croire et à la « chosification de la présence ». Ce Congrès pourrait amener les gens à redécouvrir le sens de la présence eucharistique en revisitant l'imaginaire parfois débridé qu'on a connu et qui rejoint encore plusieurs — comme la transsubstantiation, qui reste la manière de certains pour tenter de dire la présence.

Et pourtant, le Concile a été du côté de la discrétion sur ce plan, pour laisser toute la place à l'assemblée. Je sens de moins en moins le besoin d'une mise en spectacle trop forte des rituels de la foi. Je tiens à ce que la foi nous inspire pour un travail de refondation du monde et aussi de l'Église.

Mon souhait est donc que ce Congrès centre sa gestuelle et sa réflexion sur le sens du partage du pain et de la coupe en mémoire de Lui, comme une invitation à nous ouvrir au partage dans la société. Qu'il suscite des expériences, qu'on en parle, qu'on discute sur le sens de ces expériences. Ne pas s'enfermer dans une sacralité religieuse très individuelle.

Bien sûr, il est difficile, dans un tel événement, de ne pas tomber dans le spectaculaire. C'est un festival, c'est un congrès. Il y a là un genre littéraire. Que vont retenir et montrer les médias ? Que vont-ils nous laisser comme image, comme souvenir pour demain, pour l'avenir ?

Je souhaite qu'on retrouve, qu'on insiste sur l'humanité de Jésus qui nous révèle un Dieu de proximité. Et cette révélation se vit et se fait à travers nos gestes de partage, dont celui de l'eucharistie devrait être le plus significatif. Je souhaite que cet apprentissage du geste, du regard sur le monde, d'interventions pour un autre monde, trouve sa place dans une action de grâce. Au fond, comment réapprendre à partager le pain, à faire mémoire du Christ, de toute l'humanité du Christ?

Je souhaite en plus qu'à la suite du Congrès, on continue la réflexion autour de *cinq défis*. Le premier : présenter l'eucharistie dans cette dimension de geste humain où Dieu se révèle, et non comme un objet de culte ou comme un rite sacré. Jésus n'a pas demandé de lui rendre un culte — pensons à l'épisode de la Samaritaine —, mais il a invité à refaire ce geste comme lien à sa vie et à nos vies, un geste de continuité et d'envoi. Penser et vivre l'eucharistie dans sa seule dimension de culte jusqu'à en faire un spectacle, n'est-ce pas aller dans le sens d'une eucharistie qui en dénature la dynamique? Geste à profonde portée sociale, l'eucharistie devrait redevenir un moment poétique qui recueille et relance la mémoire de la vie et de la mort de Jésus à même notre propre qualité de vie.

Le deuxième défi : par-delà la dimension rituelle, retrouver la dimension testamentaire de l'eucharistie. Ce testament de toute une vie, qui devient le récit fondateur qui nous renvoie à nos propres récits de vie et à nos engagements et nos solidarités dans la vie.

Un troisième défi : continuer ou reprendre une réflexion théologique qui approfondirait le vocabulaire théologique autour de l'eucharistie, sans jamais quitter l'action et le sens de la pratique eucharistiques. Tout ce vocabulaire autour de l'eucharistie qui a fait naître parfois un imaginaire débridé, ne faudrait-il pas le critiquer pour retrouver son sens essentiel ? Présence eucharistique, sens du mémorial, et même un terme comme transsubstantiation qui semble rejoindre même des générations plus jeunes.

Un quatrième défi : en tenant compte des valeurs de la modernité, reprendre une réflexion critique autour de l'adoration eucharistique, ce phénomène, si vivant chez les jeunes, qui risque des dérives profondes en regard du sens profond de l'eucharistie.

Enfin, un cinquième défi : interroger encore et encore la notion de sacerdoce ministériel en retrouvant l'affirmation du Concile à l'effet que l'assemblée est première et que c'est elle qui crée l'espace de la venue en présence. Pour l'instant, le président, ordonné à ce service, est perçu comme le seul capable d'ouvrir cette présence. Il devrait avoir comme rôle de service celui de veiller à la qualité de la foi et de l'espérance exprimées. C'est l'assemblée qui évoque et appelle la mémoire. En somme, porter la question de l'eucharistie jusqu'au bout d'un autre monde possible.

Un dernier souhait. Espérons que cet événement hautement médiatisé ne viendra pas réveiller l'agressivité chez des croyants et des croyantes distanciés, qui ne savent plus comment se resituer dans cette tradition chrétienne. Qu'il soit plutôt l'occasion, tant dans nos milieux de travail que dans nos communautés toujours à recréer, de prendre conscience que cette mémoire est une mémoire ouverte, la présence eucharistique, une présence offerte.

Je termine en reprenant le titre d'un livre de prières publié en 1976 (par Jacques Julien et Claude Perron) : *De souvenir en avenir*. J'ose croire que le Congrès pourra rouvrir, si nécessaire, cette dynamique du souvenir eucharistique repris au présent et qui construit l'avenir.

# POUR OU CONTRE LE CONGRÈS EUCHARISTIQUE ?

*Marie-Josée Poiré*

Pour ou contre le Congrès eucharistique ? La question est provocante, et je n'y répondrai pas immédiatement ou directement. D'abord, parce que le Congrès eucharistique aura lieu cette année, que l'on soit pour ou contre. Ensuite, parce que les enjeux sous-jacents au Congrès eucharistique me semblent beaucoup trop complexes pour être résolus par une réponse simple. Pareil rassemblement peut permettre de vivre une forme d'ouverture à la diversité et d'expérience ecclésiale, faite de rencontres, de communion, de participation. Malgré et à travers les risques réels de « mise en spectacle » soulignés par Jean-Philippe Perreault dans son article publié dans *Relations* et repris sur le blogue : « Une table eucharistique ouverte et signifiante ».

Mon exposé comportera trois points, d'inégale longueur.

— D'où je viens ? Pour mieux comprendre mes perspectives ;

— Ma compréhension de l'eucharistie, à partir d'une lecture de la rencontre de Jésus avec les disciples sur le chemin d'Emmaüs ;

— Et le congrès eucharistique ?

En conclusion, j'essaierai de me situer par rapport à la question « Pour ou contre le Congrès eucharistique ? »

## D'où je viens ? Pour mieux comprendre mes perspectives

Pour me situer, permettez-moi quelques minutes d'autobiographie. Comme Obélix dans la potion magique, je suis tombée dans la marmite de la liturgie dès mon adolescence. Issue pastoralement des mouvements de jeunes des années 70, à la fois des fins de semaine de ressourcement, de la JEC, d'ALPEC et de l'ACLE, je me suis rapidement intéressée à la Bible — j'ai longtemps été très impliquée à SOCABI — puis, par un concours de circonstances, à la liturgie. C'est donc mon intérêt pour la Bible qui m'a amenée à la liturgie. À dix-huit ans, j'écrivais mes premiers textes pour la revue *Vie liturgique*, où j'ai travaillé à temps plein quelques années plus tard puis que j'ai dirigée pendant quatre ans.

Parallèlement, durant mes études de premier cycle en théologie, j'ai pris conscience des enjeux liés aux rapports des femmes et de l'Église et j'ai participé, entre 1981 et 1992, à différents groupes, dont « Femmes solidaires en Église », « Femmes et ministères » et un petit groupe de « Femmes et hommes en Église ». J'ai parfois jumelé mes intérêts liturgiques et ceux pour la cause des femmes, par exemple en préparant pour l'Assemblée des évêques du Québec la célébration pour le 50e anniversaire du droit de vote des femmes, en 1990.

Un moment important de mon parcours fut ma rencontre avec les Dominicains au début des années 80. Ma solidarité avec la famille dominicaine, particulièrement les frères et les moniales, est importante pour moi. J'y ai trouvé un espace de parole, de liberté, de solidarité et de curiosité intellectuelle.

Par ailleurs, nommons l'évidence : je suis une femme laïque qui « entre dans la sacristie ». C'est-à-dire que je ne suis pas un prêtre, ni un religieux ou une religieuse. J'ai donc, par identité, un rapport différent à l'eucharistie et à sa célébration. Je ne suis pas une présidente d'assemblée. Cependant, depuis plus de vingt-cinq ans maintenant, j'écris des prières, des déroulements de célébrations, et même des homélies, que disent d'autres personnes. Et je travaille en formation liturgique — un domaine en sous-développement au Québec — où je rencontre des laïques, des religieux et des religieuses, des prêtres et même parfois des évêques.

Quand je parle de l'eucharistie, je parle de « célébration eucharistique » ou d'« action eucharistique », parce que j'ai beaucoup de mal à parler de l'eucharistie comme d'une chose, d'un en-soi. Pour moi, l'eucharistie est d'abord et avant tout une action, un rassemblement, un partage, un mémorial, un repas, une célébration.

Vous comprendrez donc, en m'entendant raconter ces quelques moments-clefs de mon parcours, que je n'ai guère d'affinité spirituelle ou théologique avec les « dévotions eucharistiques ». Lorsque je considère le retour de plusieurs jeunes vers l'adoration eucharistique, je me sens plus démunie pour les comprendre que si j'observais les Ndembu d'Afrique centrale — étudiés par Victor Turner dans ses études d'anthropologie rituelle — dans le cadre d'un projet d'observation participante. Et pourtant, nous faisons partie de la même Église.

## Ma compréhension de l'eucharistie

Pour poursuivre ces considérations sur l'eucharistie, je vous propose de vous partager une réflexion écrite pour l'excellente revue *Vivre et célébrer* que dirige mon ami et collègue Guy Lapointe[1].

---

1.  L'article a été publié dans *Vivre et célébrer*, volume 42, n° 193, printemps 2008, pages 37-38.

Cette réflexion est issue de plusieurs années de travail avec des étudiants et des étudiantes durant un séminaire de lecture sémiotique de textes autour du récit de la rencontre de Jésus avec des disciples sur le chemin d'Emmaüs, au soir de Pâques, que l'on retrouve dans l'*Évangile selon saint Luc*, chapitre 24.

Je vous propose donc de prendre nous aussi la route et d'accompagner les deux disciples et celui qui vient faire route avec eux.

Ils marchent, sombres et déçus, sur la route de Jérusalem à Emmaüs (*Luc* 24, 13-32). Jérusalem, lieu de la mort, de l'effondrement des attentes… Celui qu'ils ont connu, aimé, suivi, celui en qui ils voyaient le futur libérateur d'Israël, ce « prophète puissant en action et en parole devant Dieu et devant tout le peuple », Jésus de Nazareth, est mort. Depuis trois jours déjà.

Ils marchent, sombres et déçus. Repliés et renfermés sur eux-mêmes, les yeux et le cœur fermés. Si fermés et si sûrs de leurs attentes effondrées qu'ils ne reconnaissent pas celui qui vient marcher avec eux et qui leur parle. Qui s'intéresse, s'interroge.

Ils lui répondent, lui racontent, lui expliquent l'écroulement de leurs rêves. Comment la mort sur la croix leur a pris leurs illusions de pouvoir, comment elle leur a dérobé leurs rêves d'autonomie politique.

Ils marchent, sombres et déçus. Le cœur et les yeux si fermés qu'ils ne reconnaissent pas celui dont ils racontent l'ignominieuse mort il y a trois jours, la visite des femmes au tombeau et la disparition du corps confirmée par leurs compagnons. Son corps a disparu, personne ne l'a vu.

Mais voilà que les rôles s'inversent. Celui qui paraissait ne pas savoir, qui semblait ignorant de ce qui s'était passé ces derniers jours à Jérusalem leur raconte à son tour l'histoire, son histoire. Non, ce n'est pas la fin de leurs rêves, l'effondrement de leurs attentes. Leur esprit sans intelligence, leur cœur lent à croire les prophètes ne savent pas lire et interpréter ce qui le concerne. Ils ont tout faux ! La mort sur la croix n'est pas ignominieuse ; elle est le chemin de la vie et de la gloire, chemin de vie et de gloire pavé par Moïse et les prophètes mais que les disciples, ses compagnons, ne savent pas déchiffrer.

Ils continuent de marcher, trois et non plus deux. La lumière baisse, la journée est avancée, Emmaüs leur destination est proche. Jésus fait mine d'aller plus loin, mais ils le retiennent et l'invitent à rester avec eux.

Ils ne le reconnaissent pas encore, mais l'hospitalité est sacrée. Ils entrent et se mettent à table. À table avec eux, il prend le pain, prononce la bénédiction, le rompt et le leur donne. Les yeux fermés s'ouvrent. Ils reconnaissent enfin celui avec qui ils ont fait route. Ce n'est pas un marcheur anonyme avec qui ils ont partagé la route quelques heures, c'est celui à la suite de qui ils ont marché toutes ces années et que pourtant ils n'ont pas reconnu.

La parole de Jésus, celle de Moïse et des prophètes, toutes les Écritures, n'ont pas suffi. Il faut le simple signe du pain rompu et partagé pour ouvrir les yeux et les cœurs. Ouvrir les yeux et les cœurs, se faire reconnaître, puis disparaître à leurs yeux. Délier les langues, permettre aux cœurs de se reconnaître brûlants. Et ils n'ont plus besoin de sa présence. Celui qu'ils ont retenu sur la route d'Emmaüs peut maintenant devenir invisible ; la trace de son passage demeure vive. Ils le reconnaissent au signe du pain eucharistié — du pain sur lequel il rend grâce — et partagé.

À ses disciples, après sa résurrection, Jésus se fait reconnaître par le signe du repas et du pain partagés. Mais ces repas ne sont que de brefs moments, de brefs passages : ils introduisent le départ, l'envoi, la mission, le dispersement, l'annonce. Comme devraient le faire nos eucharisties.

Temps de partage et de bénédiction, temps d'écoute et de reconnaissance, temps de rassemblement avant la dispersion. Temps transitoire, temps en transit ; mais indispensable entre-deux pour permettre de reprendre la route, revigorés, déjà ressuscités avec lui.

En relisant Emmaüs et les autres récits de repas de Jésus avec ses disciples après la résurrection, on peut s'interroger : l'eucharistie, signe de la présence ? Ou eucharistie, repas sur la route pour vivre l'absence ? Repas en transit, temps pour relancer, pour reconnaître et partager, pour apprendre à vivre en ressuscités.

Temps pour ne pas retenir, comme Marie-Madeleine se l'est fait ordonner par Jésus lui-même au jardin des Oliviers, dans l'*Évangile selon saint Jean* (*Jean* 20, 17) ; temps pour se remettre en marche, heureux d'avoir rencontré et reconnu celui qui est venu marcher sur nos routes, brûlants d'aller l'annoncer aux frères et sœurs en attente d'une bonne nouvelle de vie, confiants de le retrouver un jour, auprès du Père, dans l'Esprit.

\* \* \*

Ils marchent, impatients et brûlants, sur la route d'Emmaüs à Jérusalem. Jérusalem n'est plus le lieu de la mort, de l'effondrement des attentes ; c'est la ville où ils peuvent espérer la réalisation de la promesse des cieux nouveaux et d'une terre nouvelle. Celui qu'ils ont connu, aimé, suivi, est vivant et ressuscité ! Maintenant, ils brûlent de l'annoncer, d'aller dire comment ils l'ont rencontré et reconnu à la fraction du pain.

Et nous, ici, aujourd'hui, serons-nous à notre tour ces disciples « brûlants de Pâques » (Didier Rimaud, *Jésus qui m'a brûlé le cœur*, fiche I 144) parce que nous avons partagé le pain qui ouvre les yeux et met en marche ?

## Et le congrès eucharistique ?

Poursuivons maintenant avec quelques remarques sur le Congrès eucharistique international proprement dit. Le site du Congrès eucharistique, www.cei2008.ca, présente ainsi le but du congrès :

> Le Congrès eucharistique international 2008 est le rassemblement de l'Église de Québec qui accueille l'Église tout entière pour célébrer le Christ vivant sous le thème : « L'eucharistie, don de Dieu pour la vie du monde ».

> C'est l'atmosphère festive d'une expérience de foi vécue avec des croyantes et des croyants de tous les âges, venus des quatre coins de la planète. Les pèlerins congressistes se réunissent pour une semaine de célébrations du 15 au 22 juin, à la Cité eucharistique, lieu privilégié du congrès.

> Le programme prévoit des célébrations, des catéchèses, des activités religieuses et artistiques

très variées, autant pour les pèlerins congressistes que pour le grand public.

Le Congrès est ensuite situé dans le contexte du 400ᵉ anniversaire de Québec et de la mémoire de la volonté d'évangélisation manifestée au départ de la fondation de
l'établissement de Québec. Pour la petite histoire, le maire
L'Allier aurait approché l'archevêque de Québec, qui était
alors Mᵍʳ Maurice Couture, pour lui proposer d'organiser
un grand événement ecclésial à l'occasion du 400ᵉ anniversaire de la ville. Depuis, le maire L'Allier n'est plus maire,
et l'archevêque de Québec n'est plus Mᵍʳ Couture.

Si on regarde le document théologique de base du congrès,
*L'Eucharistie : don de Dieu pour la vie du monde*, publié en
2006 chez Anne Sigier, on peut lire ce qui suit dans l'invitation signée par le cardinal Marc Ouellet :

> Cet exposé développe quelques aspects de la
> doctrine eucharistique, et principalement celui
> du mémorial du mystère pascal du Christ : il est
> important de raviver la mémoire des origines
> chrétiennes du continent afin d'actualiser et de
> transmettre les valeurs de l'Évangile et l'im-
> portance de l'eucharistie dans notre monde au-
> jourd'hui, sans oublier le lavement des pieds,
> qui rappelle la dignité de toute personne, et la

parole qui, si elle est entendue, peut changer le monde : « Aimez-vous les uns les autres comme je vous ai aimés » (p. 6).

On le voit : le cardinal Ouellet établit un lien immédiat entre le mémorial de la mort et de la résurrection du Christ, de son mystère pascal, et la mémoire des origines chrétiennes de l'Amérique du Nord.

Plus loin dans le document, il insiste :

La ville de Québec, avec sa devise « Don de Dieu, feray valoir »'', est au cœur de l'histoire d'un peuple dont la devise proclame : « Je me souviens ». Cette devise rappelle la parole que Jésus a laissée à ses apôtres à la dernière Cène : « Faites ceci en mémoire de moi » (p. 9-10).

Le document poursuit, à la page 10 :

Le congrès eucharistique fournira une occasion privilégiée de rendre hommage à ce don de Dieu au cœur de la vie chrétienne et de se souvenir des racines chrétiennes de beaucoup de pays en attente d'une nouvelle évangélisation. L'eucharistie a nourri l'annonce de l'Évangile et la rencontre des civilisations européenne et autochtone sur ce continent. Elle demeure encore aujourd'hui un ferment de culture et un gage d'espérance pour l'avenir du monde en voie de globalisation.

Il n'y a pas là un projet secret du Cardinal Ouellet. Au contraire, depuis son arrivée à Québec en 2002 et son installation sur le siège archiépiscopal de la Vieille Capitale en 2003, celui-ci n'a pas du tout caché son désir de voir se rétablir la foi chrétienne comme paramètre fondamental et public de l'identité québécoise. Relisons ses propos lors de la présentation de son mémoire à la Commission Bouchard-Taylor sur les pratiques d'accommodements raisonnables :

> Un peuple dont l'identité a été fortement configurée pendant des siècles par la foi catholique ne peut pas du jour au lendemain (quelques décennies sont brèves dans la vie d'un peuple) se vider de sa substance sans qu'il en résulte des conséquences graves à tous les niveaux (p. 3).

Il termine ainsi :

> Il importe surtout à l'heure actuelle que la majorité catholique se réveille, qu'elle reconnaisse ses vrais besoins spirituels et qu'elle renoue avec ses pratiques traditionnelles afin d'être à la hauteur de la mission qui lui incombe depuis ses origines.

C'est là, peut-être, qu'il faut voir un des principaux risques du Congrès eucharistique : qu'on veuille l'utiliser comme un moyen de reconquête de la place perdue de l'Église dans la société québécoise et de reconquête de ses « sujets » perdus — sujets au sens de sujets soumis et non pas au sens où la philosophie contemporaine l'utilise. Et que, pour ce faire, on utilise les quêtes de sens et les questions identitaires des jeunes et des moins jeunes.

Pareil risque va de pair avec le danger d'instrumentaliser l'eucharistie pour en faire un moyen politique au service de l'Église voulant retrouver sa place dans la société québécoise. Si cela arrive, il nous faudra un nouveau saint Paul capable de le dénoncer avec la même vigueur que le premier a dénoncé les déviations que les chrétiens de Corinthe ont fait subir au repas eucharistique.

Et c'est sans parler du risque pastoral, liturgique et théologique de séparer le pain eucharistique de sa célébration, le corps eucharistique du corps ecclésial, pour reprendre les termes d'Augustin et du père de Lubac (voir à ce propos la communication de Guy Lapointe).

## En conclusion : pour ou contre le Congrès eucharistique ?

Je vous l'ai dit au départ : il est impossible de répondre si simplement à cette question. Jeune adulte, j'ai beaucoup bénéficié de ma participation à la sixième assemblée du Conseil œcuménique des Églises à Vancouver en 1983, dont le thème était « *Jesus Christ the Life of the World* » (je participais à la rencontre des étudiants nord-américains en théologie). J'y ai découvert, au quotidien, la diversité des Églises. J'ai prié avec des méthodistes américains, des réformés européens, des Grecs et des Russes orthodoxes. J'ai saisi la diversité des compréhensions de l'eucharistie à travers les grandes célébrations, dont celle de la liturgie de Lima. Je crois à ces grands rassemblements comme des moments de rencontre, d'échange, d'ouverture.

Le Congrès eucharistique de Québec pourra-t-il porter des fruits de rencontre, d'échange et d'ouverture ? Non, il ne portera pas de tels fruits si on enferme l'eucharistie dans une vision ecclésio-centrée. Il n'en portera pas si on instrumentalise l'eucharistie et le rassemblement ecclésial, si on en fait des instruments de propagande politique et de reconquête des esprits, des cœurs et des libertés. Il n'en portera pas non plus si on sépare le pain eucharistique de la célébration eucharistique ou si on sépare le corps eucharistique du corps ecclésial, particulièrement de ses membres les plus souffrants. En disant cela, je pense à un beau texte de Jean Chrysostome, dans son Sermon sur l'évangile de Matthieu : « Quel avantage y a-t-il à ce que la table du Christ soit chargée de vases d'or, tandis que lui-même meurt de faim ? Commence par rassasier l'affamé et, avec ce qui te restera, tu orneras son autel[2]. »

Mais oui, le Congrès eucharistique pourra porter des fruits si on laisse à la diversité des visions, des compréhensions et des façons de célébrer l'eucharistie la possibilité de se dire et de se vivre. Oui il en portera si, tout en célébrant l'action eucharistique, on favorise la rencontre, le dialogue, l'échange, le partage, permettant ainsi la construction du corps ecclésial, ainsi que le rappelle le texte de *La doctrine des douze apôtres*, la *Didachè* : « Comme ce pain rompu, disséminé sur les montagnes, a été rassemblé pour être un, que ton Église soit rassemblée de la même manière des extrémités de la terre dans ton royaume[3]. » Oui, il en portera si les eucharisties célébrées deviennent non pas des lieux de repli, mais des lieux d'ouverture et d'envoi pour porter au monde la joyeuse nouvelle de celui qui vient toujours marcher avec nous sur nos chemins d'Emmaüs et rendre nos cœurs brûlants pendant qu'il nous partage sa parole et son pain.

---

2.  Texte extrait du sermon de Jean Chrysostome sur l'évangile de Matthieu, publié dans *La Liturgie des heures*, tome 3, Paris, Le Cerf/Desclée de Brouwer/Desclée/Mame, 1980, page 471.

3.  *La doctrine des douze apôtres (Didachè)*, introduction, texte, traduction, notes, appendice et index par W. Rordorf et A. Tuilier, coll. « Sources chrétiennes », n° 248, Paris, Éditions du Cerf, 1978, p. 177.

# SE SOUVENIR DE L'AVENIR

*Guy Paiement, s.j.*

Il arrive parfois que certains événements débordent de leur cadre et prennent des valeurs d'anticipation. Le Congrès eucharistique de Québec est de ceux-là. Nous sommes en présence d'un événement qui, à première vue, s'inscrit dans les événements qui reviennent à intervalles réguliers. Les Congrès eucharistiques ne datent pas d'hier. Que l'on décide d'en tenir un autre cette année semble donc continuer une longue série d'événements qui ambitionne de renouveler l'importance de l'eucharistie dans la vie chrétienne.

Toutefois, cette lecture devient rapidement myope si l'on ne resitue pas l'événement dans le nouveau contexte historique qui est le nôtre. Celui-ci nous dessine des tâches nouvelles, et c'est en référence à celles-ci que le Congrès prend des dimensions troubles. Je tenterai de le montrer en rappelant, dans un premier temps, la nouvelle situation de la foi dans la critique actuelle. J'aborderai ensuite ma compréhension du « mémorial » pour esquisser, dans un troisième temps, les perspectives neuves qui s'ouvrent devant nous. Les limites de l'événement de Québec prendront alors l'allure d'autant de questions non résolues.

# Le premier âge de la critique de la foi

Plusieurs d'entre nous ont connu l'univers religieux des années cinquante. Le monde de la paroisse, avec ses multiples organisations pieuses et sociales, était chapeauté par monsieur le curé et ses vicaires. Cet univers partageait un même imaginaire religieux qui était globalement accepté par la population. Le monde ouvrier était alors en pleine ébullition, et certains syndicats luttaient pour une plus grande participation des travailleurs dans l'entreprise. Le refus de l'épiscopat d'appuyer les ouvriers engendra bientôt une cassure qui se révélera, par la suite, par la « grève de la messe » de beaucoup d'entre eux. Devant les remises en question qui montaient, les autorités tentèrent alors de conjurer les insatisfactions par un discours religieux plus affectif afin d'amoindrir les effets d'une approche autoritaire qui était prédominante. À Montréal, la « Grande mission » du cardinal Paul-Émile Léger constitue un bon exemple de cette stratégie conservatrice : une armée de prédicateurs parcourut les multiples paroisses afin de proposer une image de Dieu, notre Père, aimant et miséricordieux. À cette croisade s'ajouta le chapelet en famille, récité à la radio par le Cardinal lui-même. Si ces efforts ont pu donner plus de confiance à certains croyants et croyantes, ils n'ont guère touché aux structures d'autorité qui étaient en place ni laissé d'espace aux critiques de jeunes intellectuels qui réclamaient plus d'autonomie dans leur façon de comprendre leurs responsabilités éthiques dans le nouvel univers mental qui s'annonçait.

L'avènement de la « Révolution tranquille », qui se déroula en même temps que l'*aggiornamento* du concile Vatican II, constitua alors le premier âge d'une critique d'ensemble. La population était mûre pour effectuer le grand rattrapage de la modernité, et les changements conciliaires semblaient autoriser la vaste « mise à jour » de l'Église, invitée à cheminer avec les hommes et les femmes de ce temps. L'acceptation rapide de nouvelles façons de penser et d'agir trouva un symbole puissant dans l'exposition universelle de Montréal : nous étions donc entrés de plain-pied dans le monde moderne, et l'univers entier venait nous visiter et admirer notre ouverture et notre sens de l'hospitalité. La dimension religieuse n'en fut pas absente car, au cœur des multiples pavillons sur l'île Notre-Dame, on pouvait visiter le pavillon œcuménique, timide présence chrétienne au cœur de la modernité. Soulignons que celui-ci ne fut pas le plus populaire : il rappelait, dans ses murs, la présence des oubliés, tous ces gens qui souffraient de la faim, de la guerre et du sous-développement. On y faisait un tour rapide, mais il ne faisait pas le poids devant les attraits et les promesses de la modernité technique.

Un second événement, interne à l'Église celui-là, eut des conséquences plus dramatiques. Les jeunes des mouvements d'Action catholique réclamaient plus d'autonomie pour leurs tâches d'animation et de transformation du monde moderne qui, évidemment, ne profitait pas à tout le monde. On leur enjoignit de ne pas se mêler des structures et de se contenter de témoigner de leur foi dans une bonne vie morale. Devant l'ampleur de la contestation, les autorités mirent sur pied une commission d'enquête, la commission Dumont. Dès le début, les commissaires choisirent d'élargir leur enquête et la commission se donna alors pour tâche d'étudier la crise de l'Action catholique et de l'ensemble de l'Église québécoise. La prise de parole suscitée par cette commission se manifesta dans 800 mémoires, représentant plus de 15 000 personnes. Les attentes étaient multiples, les recommandations le furent aussi. Malheureusement, elle fut globalement « tablettée » par les autorités, et plusieurs croyants et croyantes se retirèrent sur la pointe des pieds. Ce fut un premier âge d'une critique de plus en plus généralisée de l'Église et l'épisode malheureux de la « pilule », quelque temps après, ne put que multiplier les prises de distance de croyants et surtout de croyantes qui en avaient marre d'êtres traités comme des mineurs.

Or, les prises de position du cardinal archevêque de Montréal au sujet des revendications des mouvements d'Action catholique révélèrent une rupture plus profonde, qui est toujours présente. Tout se passa alors comme si une division des tâches s'officialisa. Les autorités religieuses ne pouvaient plus régenter la société. Désormais, tous les secteurs d'activités de la société relevaient des nouveaux ministères du gouvernement. Que restait-il à l'Église ? Le pouvoir spirituel. On se cantonna donc dans la réforme liturgique et dans celle de la catéchèse, tout en négociant le financement de celle-ci par l'État. Mais rien ne fut fait pour créer des lieux de discernement des enjeux proprement spirituels de la mise en œuvre de la modernité. Cet accaparement du spirituel par les autorités aura des conséquences incalculables . Combien de croyants et de croyantes s'en iron

## Le second âge de la critique religieuse

Au début de ce nouveau millénaire, nous sommes maintenant entrés dans un autre âge de la critique religieuse. Cette dernière ne se préoccupe plus tellement des raideurs de la pensée officielle que de la pertinence même du christianisme. Ce dernier semble avoir fait son temps et se retrouve de plus en plus comme un simple héritage culturel que certains veulent encore conserver. Mais a-t-il encore quelque chose d'important à dire au monde complexe qui est le nôtre ? Plusieurs valeurs chrétiennes ont été laïcisées, elles font désormais partie de notre bagage citoyen, mais on n'a plus besoin des Églises pour les vivre. Ces valeurs sont de l'ordre du choix personnel, et l'affiliation à une communauté de foi n'est plus jugée nécessaire.

Autrefois, l'Église officielle était capable de tenir ensemble les éléments fondamentaux de sa foi, le sentiment d'une même appartenance, des rites qui célébraient les grands événements de la vie et de son espérance et la responsabilité éthique de changer les situations qui font mal à des gens. Mais ces divers éléments échappent de plus en plus à l'autorité ecclésiale. Elle n'est plus en mesure de les réunir, car ses préoccupations actuelles tendent à sauver les meubles, à unifier plusieurs lieux de culte, à préparer des enfants à des sacrements sans qu'une communauté de foi adulte puisse les épauler. D'où un éclatement des chrétiens catholiques, certains se voulant conservateurs d'une foi privée, d'autres humanistes, d'autres inventant leurs propres rites de baptême ou de funérailles, d'autres se cantonnant dans une responsabilité éthique.

Ne sommes-nous pas un peu comme les membres des communautés judéo-chrétiennes d'autrefois, qui virent des pans entiers de leur passé religieux s'effondrer et qui durent réinventer une communauté de foi, désormais traversée par toutes sortes de courants spirituels ? Le Dieu qu'ils avaient connu était devenu problématique et ils devaient à nouveau chercher sa face.

Tout se passe comme si, aujourd'hui encore, à l'aube du deuxième millénaire, le Dieu qu'on prétendait connaître était en train d'éclater. Après l'éclatement du monde physique et la théorie du *big bang*, nous avons connu l'éclatement des repères sociaux traditionnels lors de la montée du capitalisme et du marxisme. Par la suite, ce furent ceux de la nature intime de l'humain avec les découvertes de l'inconscient. De nos jours, avec la présence des multiples religions, qui deviennent autant de voisins, Dieu lui-même semble avoir éclaté. Quoi ? L'Église n'aurait plus le monopole de la vérité ? Pourquoi alors faire partie de celle-là plutôt que d'une autre ? Les critères manquent qui permettraient de se retrouver dans « ce nouveau monde qui est possible ». En même temps, c'est la compréhension même de ce que nous sommes comme humains qui est remis en question par les multiples techniques de reproduction et de communication. Dieu et l'humain sont devenus de plus en plus flous : sont-ils de simples sous-produits de nos cultures en mal d'explications commodes pour se protéger de la mort ? Faut-il plutôt faire confiance à ceux qui prétendent que Dieu nous échappe toujours, que nous ne pouvons guère le mettre en boîte ? Que l'humain lui-même est capable du pire mais qu'il peut encore nous surprendre, car une Présence l'habite au cœur même de ses nuits les plus noires et qu'il n'a pas fini de nous étonner ?

Combien de croyants et de croyantes entrent ainsi dans une nébuleuse où les repères s'effacent et où, en même temps, les forces de mort se manifestent de plus en plus au cœur de leur conscience et de celle des autres sans qu'ils entrevoient comment les exorciser? Je pense ici au génocide rwandais, qui a sévi dans un pays pourtant massivement christianisé. Comment expliquer le peu d'influence qu'a eu la foi chrétienne sur l'ensemble des populations? Ce n'est pourtant pas faute d'églises ou de prêtres ou de religieuses. Ce n'est pas faute de rites dominicaux et de dévotions. Serait-ce à cause d'une absence de critères de discernement spirituel, travaillant trop en surface l'expérience personnelle et sociale? À voir, dans notre propre milieu, l'empressement de toute une classe sociale à payer le moins possible d'impôts et à considérer la solidarité sociale comme étant une affaire du passé, on se dit que l'Évangile est loin d'avoir eu raison, chez nous, de Mammon ou des vieilles idoles de sécurité qu'on se fabrique sans cesse.

C'est dans ce nouveau contexte critique que les membres de l'Église doivent se situer. La tâche n'est pas de tout repos. Un certain nombre pense y parvenir par le déni et en réactivant le monde périmé des années cinquante. Mais cette restauration est un leurre. L'Évangile demeure inspirant dans la mesure où il inspire de nouvelles façons de le vivre dans des situations inusitées. Certes, je peux comprendre que des générations plus jeunes, qui n'ont pas connu notre histoire religieuse, puissent trouver, dans la restauration, des balises qui leur manquent. Ils se retrouvent souvent devant un magasin d'antiquités, où gisent, pêle-mêle, un monde disparate d'objets et de pratiques laissés là par leurs parents. Certains s'en emparent comme on se saisit d'une bouée de sauvetage. Mais qu'auront-ils d'autre quand ils rejetteront ce qui leur semblera des béquilles et quels critères auront-ils pour réinventer de nouvelles façons de vivre en Église ?

Malgré tout, plusieurs sentent qu'il est illusoire de nous replier sur nous-mêmes et que l'essentiel est peut-être de chercher à témoigner de la tendresse du Dieu de Jésus Christ dans notre vie quotidienne, puisque c'est d'abord là que se joue notre foi. Seul l'amour qui donne le goût de renaître, de se relever, de servir, de faire de l'inédit est digne de foi. Mais pour aller plus avant, sans doute nous faudra-t-il entrer davantage dans la contemplation de celui « qui n'avait pas de pierre pour reposer sa tête » et qui marchait sur les chemins des gens de son pays, proclamant qu'un monde neuf était déjà commencé et qu'on pouvait y entrer comme on entre dans une musique, c'est-à-dire en laissant cette musique nous entrer dans le corps et en découvrant le goût de la turluter.

## La contemplation des personnes exclues

Pour ce faire, nous devons redécouvrir ce que signifie « faire mémoire ». Nous savons déjà que cette expression n'a rien d'un retour plus ou moins nostalgique dans le passé. Elle ne se limite pas à répéter des gestes du passé, mais bien à entrer dans l'expérience qui les a rendus possibles. « Faire mémoire » de Jésus le Christ ouvre alors une exploration de ce qui a été la passion du Galiléen et la décision de la partager de façon concrète. Les premiers disciples ont été invités à le faire. Pendant qu'ils marchaient avec lui, ils discutaient du pouvoir qu'ils auraient dans ce monde nouveau qu'il croyait à leur portée. Comme ils ne pouvaient pas s'entendre, ils demandent à Jésus de trancher la question. Ce dernier leur répond : « Pouvez-vous boire le calice que je vais boire ? Si vous le voulez, vous le boirez vous aussi, mais pour ce qui est des promotions, vous êtes mieux d'attendre, c'est un autre qui en décidera » (*Marc* 10, 35-40). Boire la coupe est ici synonyme de souffrance partagée. Non par goût du morbide, mais par amour de ceux et de celles qui sont nos frères et nos sœurs et qui souffrent.

Ici peut s'ouvrir toute une caravane de personnes, dont plusieurs sont nos proches ou nos voisins. Faire mémoire, par exemple de toutes ces personnes oubliées, qui ne mettent plus les pieds à l'Église parce qu'elles souffrent encore de décisions qu'on a prises à leur égard. Faire mémoire des anciens paroissiens qui perdent leur lieu de culte et avec eux les quelques liens concrets qu'ils avaient avec d'autres personnes de leur entourage. Faire mémoire de ceux et de celles qui n'ont plus d'espoir dans la communauté chrétienne, et qui se débattent pour trouver d'autres critères que ceux que leur tambourine la société de consommation. Faire mémoire de ceux et celles qui font des prodiges pour faire vivre leur famille, parce que leur travail est trop précaire, le loyer trop cher et que l'entraide s'effiloche dans le quartier, les groupes communautaires disparaissant faute de financement. Faire mémoire de toutes les personnes qui vivent durement cet éclatement de Dieu et qui doutent de l'avenir du christianisme. Faire mémoire de ces jeunes et moins jeunes qui ont peur pour l'avenir de la planète et qui veulent à tout prix sauver la beauté du monde et la confier à tous ces enfants qui ne sont pas encore venus au monde.

Chacun pourrait continuer la liste en ajoutant des références plus proches de son expérience. Il reste que c'est avec tous ces gens que nous pouvons faire mémoire de ce que Jésus a fait. Si ce dernier avait voulu se contenter d'une petite réunion entre amis, les invitant à refaire les mêmes gestes autour du pain et de la coupe, il n'aurait pas été arrêté pour sédition et ne serait pas mort sur la croix. C'est bien parce que les gestes qu'il a posés représentaient tous les autres gestes qu'il avait initiés au cours de sa vie publique que l'on a pu parler d'une «mémoire dangereuse» des gestes de Jésus. Ces rites, en effet, ne sont pas enfermés sur eux-mêmes, mais concernent un autre avenir à faire avec tous ceux et toutes celles qui continuent dans leur vie les souffrances du Galiléen et qui espèrent que quelque chose de neuf arrive.

## Les perspectives qui s'ouvrent

Nous sommes à l'aube d'une autre civilisation et l'Évangile, j'en suis convaincu, a quelque chose à lui apporter. Dans le passé, au travers des misères des gens et de ses propres limites, la communauté des disciples de Jésus, le vivant, a collaboré à lever cette lourde pâte humaine et à en faire un pain qui se partage. Il est donc de la nature de l'Évangile de proposer des façons de faire et des valeurs qui, un jour ou l'autre, sont reprises par la société tout entière qui peut ensuite en faire son profit. Quand Paul écrira qu'il n'y a plus, pour le croyant, de juif ou d'étranger, de riche ou de pauvre, d'homme ou de femme, il était loin de se douter qu'il mettait en branle une conception universelle de l'être humain qui aboutira, au vingtième siècle, dans la charte des droits et qui continue à se frayer un chemin en Orient. Quand des chrétiens et des chrétiennes du deuxième siècle recevaient chez eux les malades qui étaient abandonnés par leur famille ou recueillaient les enfants laissés sur le parvis des temples païens, ils étaient loin de se douter que, quelques siècles plus tard, des institutions seraient créés qui seront nommées des « hôtels-Dieu ». Quand une poignée de femmes du bas du fleuve se mirent à ouvrir une école de rang pour aider les enfants ruraux sans instruction, filles comme garçons, elles ne se doutaient pas qu'un jour l'État reconnaîtrait l'instruction comme un droit pour tous les enfants. Quand Marie Gérin-Lajoie et une brochette de femmes chrétiennes issues de la bourgeoisie se mirent, dans les années quarante, à demander la réforme du Code civil et défendre le droit de vote pour les femmes, elles ne se doutaient pas que le pouvoir politique reconnaîtrait un jour l'égalité homme/femme et l'équité salariale. Quand le frère Marie-Victorin récoltait ses plantes, il était loin de penser qu'un jour des milliers de gens défendraient la nature et lutteraient pour sauver les espèces et leur environnement.

L'Évangile, dans la société, n'est pas là pour imposer un pouvoir, mais pour inspirer des façons de vivre et de penser qui permettent de devenir plus humains et de vivre ensemble. Combien d'exemples de croyants et de croyantes avons-nous, dans notre histoire, qui ont semé en toute générosité, laissant à d'autres la joie de la récolte ? C'est vraiment cette confiance et cette passion des humains que nous avons à développer. Pendant des siècles, trop de gens ont cherché à défendre Dieu et à tuer ceux qui n'entraient pas dans leur camp clôturé. Aujourd'hui, c'est l'humain qu'il faut défendre, car la Présence divine l'habite.

Certes, pour y parvenir, il nous faudra innover. Ne pas craindre d'oser. Comme la vieille Sara, qui a tellement rigolé quand les trois visiteurs lui ont annoncé qu'elle aurait un fils de son vieux. Elle a tellement rigolé qu'elle appela son enfant Isaac : « Notre Dieu a pouffé de rire ! »

Des tâches neuves nous attendent. Tout d'abord, créer et recréer des liens avec les gens. Y compris avec nos voisins qui vont à Dieu d'une autre façon. Susciter chez nous des célébrations sans messe où les gens pourraient prendre la parole, questionner l'Évangile et le traduire dans leurs mots. Car une foi qui ne se parle plus risque de devenir une langue morte. Multiplier les lieux de discernement spirituel communautaire, où l'on cherche à décoder les «signes des temps». Mettre sur pied des communautés-relais avec des responsables laïques, comme on en trouve dans de nombreux pays. Soutenir les groupes qui font avancer la justice dans notre milieu et ne pas craindre de prendre la parole dans les journaux. Vous en trouverez bien d'autres et des meilleures.

En terminant, comment ne pas se rappeler que les femmes ont été les premières à se rendre au tombeau? Le Christ n'y était pas. Mais l'envoyé leur a demandé d'aller dire aux disciples qui s'étaient terrés dans leur cénacle de sortir. Car le Christ vivant les précédait en Galilée, sur les chemins des gens, là où l'un parlait de marier sa fille, l'autre d'élargir son marché, certains frayant avec des étrangers, d'autres critiquant les impôts et le pouvoir de l'empire. Si la célébration du mémorial de Jésus, le Christ, ne nous incite pas à reprendre à notre tour le chemin, elle a bien des chances d'être un alibi, c'est-à-dire de nous maintenir ailleurs que là où nous devrions être. Sur le chemin, nous rencontrerons sûrement les sœurs, les frères et les cousines de la vieille Sara, et nous pourrons rigoler un bon coup de notre manque de foi.

# DEUXIÈME PARTIE

## GATEOS :
### UNE TABLE OUVERTE ET SIGNIFIANTE

### DE QUOI S'AGIT-IL ?
Un groupe de chrétiennes et de chrétiens désirent ajouter leurs perspectives au débat en cette année préparatoire au Congrès eucharistique 2008 de Québec (les textes qui suivent ont été publiés avant la tenue du Congrès). Une « autre parole » nécessaire !

### NOS OBJECTIFS
Créer un espace multiforme de dialogue sur la place de la table eucharistique pour prendre en compte :
- la diversité des milieux et des cultures ;
- le fait réel de l'exclusion dans le catholicisme ;
- le défi de réapprendre à dresser une table ouverte et signifiante pour notre monde.

Dans un premier temps, nous servir d'une plate-forme informatique décloisonnée (blogue) pour offrir la parole et créer un espace de dialogue et de débat.

Ensuite, inciter les chrétiennes et chrétiens de différentes confessions, congrégations, paroisses et diocèses à rendre cet espace plus personnalisé et à poursuivre le dialogue.

En définitive, nous souhaitons par cette initiative nous inscrire dans une Église qui prenne en compte l'importance de la table eucharistique dans la construction des communautés chrétiennes et leur engagement pour la vie du monde.

# AUTOUR
# DE LA TABLE !

# MAIS OÙ EST RENDUE LA TABLE ?

*Alain Ambeault, c.s.v.*

Le coup d'œil est frappant : une fois le seuil franchi, la majorité des églises catholiques offre un spectacle navrant. À perte de vue, des bancs déserts comme autant d'étapes délaissées pour atteindre un chœur, un avant à l'accès limité, au moins selon le livre officiel du « savoir-faire » vatican. Quelque chose se passe au loin que ni les mots ni le regard ne semblent reconnaître. Une presque table en vue…

Le défi de réapprendre à dresser la table n'est pas propre au catholicisme. En Occident, on est passé d'une table rassembleuse à une autre de services, d'un mets commun à des portions individuelles ; chacun choisit sa pitance sans même avoir à se tourner vers les autres. Dans nos demeures, que sont devenues la table de la cuisine, et celle non moins symbolique de la salle à manger ? Suivant cette évolution, la table eucharistique a eu beau vouloir se refaire une beauté, changer de sons et de mots, se délester du superflu, elle se voit désertée plus que jamais. Table sans sens… mots et paroles sans table réelle… grand silence symbolique !

Le constat est à ce point marquant qu'on semble vouloir éloigner de plus en plus la table de ses invités, question de masquer le malaise. Les règles pour s'y approcher sont strictes, tous et toutes ne sont pas bienvenus (c'est devenu la table des « purs »). On n'entoure pas cette table, mais on y fait face et, surtout, on ne prend pas la parole, celle-ci n'existe que dans des mots figés, des attitudes prescrites. Table sans vie parce qu'elle ne permet plus à la parole de rencontrer la Parole insaisissable.

Alors qu'advient-il du pain offert ? Bien loin de cette Cène qui fait mémoire d'un amour qui crie la vie, d'un don qui crée une nouvelle alliance, d'une humanité projetée en pleine divinité, notre pauvre pain est plat et calculé. La table de notre eucharistie devrait saisir le pourquoi de ses places vides et créer l'espace pour celles et ceux qui vont et viennent, passent devant et recherchent. Et tous ces affamés devraient nous rappeler cette affirmation du philosophe Emmanuel Lévinas : « S'arracher le pain de la bouche pour autrui. »

Avec qui Jésus s'est-il assis ? Au côté de qui a-t-il entouré la table de la reconnaissance ? Quelle table lui a permis de parler de son Père ?

Soyons honnêtes : la table n'existe plus chez nous ! Le défi n'est pas de combler impatiemment le vide, mais d'oser, au cœur des carrefours humains, quelque chose qui ressemblerait aux paroles de Jésus : « J'ai tellement désiré manger cette Pâque avec vous » (*Jean* 22, 15). Repérons les lieux signifiants de rassemblement, osant l'Évangile dit en des mots qui incitent à la poursuite du récit, ceux qui incorporent, et alors de nouvelles tables apparaîtront, certainement plus près de celles d'origine qui portaient l'adresse d'Untel et d'Unetelle. À cet égard, ne nous sentons-nous pas appelés entre chrétiens à nous enrichir de la table des autres, osant nous y approcher et la partager ?

Ce n'est pas la table qui crée l'eucharistie, mais elle dispose les êtres humains pour qu'ils reconnaissent les enjeux de leur humanité de façon à ce que puissent résonner de nouveau les paroles du pain et du vin offerts en corps et sang. Des paroles qui dérangent ! À ce compte, l'interpellation de saint Augustin a tout son sens : « Vous êtes le corps du Christ ; recevez ce que vous êtes » (Serm. 227).

Le Congrès eucharistique 2008 nous convie à redécouvrir le sens de l'adoration eucharistique (Lettre pastorale du cardinal Ouellet — Congrès eucharistique 2008, juin 2007). N'est-ce pas nous éloigner un peu plus encore des impératifs d'une table à redécouvrir et à redisposer pour que la mémoire des paroles et des gestes de Jésus dérangent, reconnaissent, rassemblent et envoient à nouveau en mission ?

L'eucharistie ne peut se passer d'une table réelle pour advenir comme don d'un amour toujours offert ; la communauté chrétienne sans eucharistie devient une route d'Emmaüs qui n'entend plus la parole : « Reste avec nous, le soir baisse. »

# FAIRE L'EUCHARISTIE ET APPRENDRE À VIVRE

*Guy Lapointe, o.p.*

De mémoire d'enfant, la table a toujours été pour moi un lieu où, pour une large part, on m'a appris à vivre. Devenu adulte, je me rends compte que la table reste le lieu et le théâtre où, avec ses jeux de rôles, ses délices et ses crises, se construisent ou encore peuvent se défaire des liens familiaux et des solidarités. La table reste une épreuve de vérité qui parle de nos relations, qui parle de la vie. En somme, se mettre à table, n'est-ce pas un apprentissage à vivre ?

À cet égard, la pratique de l'eucharistie n'est-elle pas un moment où l'on apprend à donner, à recevoir et à rendre, à même le souvenir de l'action de Jésus Christ ? C'est aussi un jeu de relations, parfois lumineux, parfois plus sombre, où l'on est convoqué à se regarder, à recevoir et à donner. En somme, un lieu d'apprentissage pour construire la vie dans une dimension de foi. Ce moment s'inscrit dans un climat d'action de grâce, à même le geste de partager le pain et la coupe lié au récit qui en ouvre le sens.

S'il est vrai que le don est essentiellement un acte de naissance, une renaissance, une remise en contact avec la source de la vie, accepter la vie comme don dans le geste de prendre le pain et la coupe, de les partager avec les autres, n'est-ce pas, chaque fois que l'on célèbre, réapprendre à vivre ? Cela ne peut-il pas ressembler à quelque chose de Dieu ? Nous sommes là en pleine utopie évangélique, là où la préoccupation de naître à nous-même, aux autres et à Dieu, à même le partage d'un peu de pain, d'un peu de vin devient ouverture à la vie et au Royaume.

D'ailleurs, n'est-il pas vrai que celui ou celle qui n'est pas occupé à naître est occupé à mourir ? Encore faut-il, pour découvrir les significations du geste eucharistique qui fait naître, que la mise en scène de nos célébrations soit traversée, dans sa symbolique, par la préoccupation d'y inscrire des gestes et des paroles significatifs. Nos eucharisties apprennent-elles vraiment à vivre et à faire vivre ?

Dans un temps où la pratique de l'eucharistie est moins intense et régulière chez beaucoup de personnes et de communautés de traditions chrétiennes différentes, parler de l'eucharistie comme d'un lieu privilégié pour apprendre à donner, à recevoir et à rendre peut sembler un discours théorique. Sans vouloir mépriser la façon dont se célèbrent les eucharisties dans la plupart des assemblées, on peut douter qu'elles puissent représenter pour beaucoup un instant significatif de la pratique du souvenir du Crucifié-Ressuscité et d'une ouverture consciente à l'Évangile.

D'ailleurs, aussi bien la mise en scène des célébrations, en particulier le geste de partager le pain, que le taux de fréquence de l'eucharistie dominicale en dehors des eucharisties imposées par d'autres événements, montre assez facilement le peu d'impact de cette ritualité dans la vie. Par contre, il semble clair — les sondages nous le montrent — que les gestes de passage (baptême, confirmation, funérailles) ont acquis, chez plusieurs croyants et croyantes, une force symbolique plus significative, parce que ceux-ci sont rejoints dans leur dimension humaine.

Eucharistie et utopie évangélique ont peut-être, par peur du risque ou par manque de vigilance des communautés, coupé des liens à l'origine indissociables et inscrits dans les gestes mêmes. Si l'Évangile porte l'utopie du Royaume, les hommes et les femmes qui s'en réclament doivent accepter de vivre ce désir et cette tension comme un « avoir lieu qui est reporté ». C'est l'étymologie même du terme utopie : non-lieu, sans lieu. D'une certaine manière, la pratique de l'eucharistie est à la recherche constante de son lieu, de ses enracinements. C'est aussi le sens de l'espérance chrétienne. Nous sommes alors en pleine dynamique du Royaume qui vient.

Une question : comment la mise en scène de nos eucharisties pourrait-elle devenir un moment significatif pour réinvestir notre vie à même l'espérance évangélique ?

# À TABLE AVEC JÉSUS

*Odette Mainville*

## L'audace de Jésus

> Ce ne sont pas les bien-portants qui ont
> besoin de médecin, mais les malades.
> (*Marc 2*, 17)

Cet avertissement, Jésus l'adresse aux scribes et aux pharisiens qui s'étonnent de le voir se retrouver dans la maison
de Lévi, assis à sa table, entouré de collecteurs d'impôts et
de pécheurs.

Attention! Nous sommes trop habitués à entendre ce texte.
Je nous soupçonne de ne pas en avoir pleinement saisi l'impact. Lévi est un publicain, c'est-à-dire un Juif qui collecte
les impôts auprès de ses coreligionnaires et concitoyens juifs
pour le compte des occupants romains, des étrangers, des
païens. Le publicain est si mal vu des Juifs qu'il est officiellement décrié comme pécheur public et littéralement inscrit
sur la liste noire. Conséquemment, en raison du statut de
pécheur du publicain, le Juif pieux (pratiquant) évitera tout
contact avec lui, sous peine de se rendre impur. Or, Jésus,

lui-même juif à part entière, pieux, pratiquant, invite Lévi à devenir son disciple, se rend ensuite dans sa maison et partage le repas avec lui et ses amis, en l'occurrence des collecteurs d'impôts et des « pécheurs », tous des proscrits aux yeux de l'autorité religieuse. Si bien que les pharisiens vont s'étonner : « Quoi ! Il mange avec les collecteurs d'impôts et les pécheurs ? » (*Marc* 2, 16). Et bien sûr, Jésus entraîne ses disciples à faire de même. Il va répéter le même geste avec Zachée (*Luc* 19) qui, lui, de surcroît, est chef publicain.

À retenir : Jésus partage la table d'ostracisés sans, au préalable, les confesser, leur demander s'ils ont l'intention de changer de vie. Il a sûrement la conviction cependant que la première étape pour les amener dans le droit chemin est de faire preuve d'accueil à leur égard et de leur laisser entendre qu'ils sont dignes d'être aimés.

Une autre fois, alors que Jésus est invité chez un pharisien nommé Simon (*Luc* 7, 36-50), arrive la pécheresse du village qui s'assoit à ses pieds, se met à les baigner de ses larmes, à les essuyer de ses cheveux, à les couvrir de baisers et à les enduire de parfum. Même étonnement de la part du pharisien. En réaction à cet étonnement, Jésus se porte à la défense de la femme et la présente en exemple.

Jésus fréquente aussi des amies de fille et se laisse inviter chez elles en l'absence d'hommes (*Luc* 10, 38-42). Il mangera le repas préparé par Marthe, après avoir, bien sûr, donné à Marie des enseignements normalement réservés aux hommes. Il va même prendre parti pour une femme reconnue coupable d'adultère, que la loi recommande de lapider (*Jean* 8, 1-11). Pas très orthodoxe, ce Jésus!

Il va s'entretenir avec une Samaritaine (*Jean* 4); il va proposer un Samaritain comme exemple d'altruisme (*Luc* 10, 29-38) ou de reconnaissance (*Luc* 17, 11-19). Or, les Samaritains sont des bâtards, aux yeux des Juifs; ils sont détestés et méprisés par eux.

La liste d'exemples pourrait s'allonger encore et encore.

À retenir : quand Jésus agit de la sorte, il va à l'encontre des ordonnances de sa « religion » et des autorités dûment mandatées qui la gèrent.

Jésus est donc sorti des rangs et s'est tenu debout devant l'autorité quand il a jugé nécessaire de faire passer le véritable service de Dieu devant les ordonnances humaines. Il a manifesté une entière liberté quand il a jugé qu'on avait déformé le visage de Dieu, quand il a jugé que les préceptes de sa religion trahissaient sa volonté, quand il a jugé qu'on avait « encarcané » l'amour et l'accueil qu'il veut pour tous les êtres humains. Bref, Jésus a contesté les normes de sa religion et il a passé outre quand il les a jugées désuètes. Ce n'était pas facile. Ça lui a coûté la vie.

Que signifie « être disciple de »? Cela signifie « faire comme». Rien de moins.

Au soir de sa vie, sachant pertinemment qu'il était traqué et qu'il allait mourir, Jésus a voulu passer le flambeau à ses disciples pour que son œuvre se poursuive, et ce, dans le cadre du rituel juif du repas pascal. Il mange ce repas avec eux et n'invente pas de rituel nouveau. Il utilise, au contraire, les mêmes rites mille fois répétés, mais il leur confère une symbolique de circonstance. Il dit : « Ce pain, c'est mon corps», c'est-à-dire qu'il représente ce que je suis comme personne entière, avec tout ce que j'ai désiré, accompli et voudrais continuer à accomplir. Voulez-vous partager ce pain avec moi? Si oui, vous vous engagez à poursuivre ma cause. Les disciples ont mangé le pain symbolisant le corps de Jésus. Ensuite, il a pris la coupe de vin et il l'a bénie ; il leur a dit : « C'est la coupe de mon sang. » Eux, ils savaient ce que signifiait le sang dans leur tradition : rien de moins que la vie (*Lévitique* 17, 11). Le vin symbolisait donc la vie de Jésus. Voulez-vous partager ma coupe? Voulez-vous partager ma vie? Voulez-vous vous alimenter à ma vie, pour que le même dynamisme coule dans vos veines? Les disciples ont bu le vin. Ensuite, Jésus les a exhortés à refaire les mêmes gestes en mémoire de lui. Ce n'est, bien sûr, qu'après la résurrection qu'ils ont commencé à saisir la portée de ces gestes et l'ampleur que revêtait leur engagement quand ils oseraient les répéter. Pas un instant ils n'ont cru en une transsubstance ; pas un instant ils n'ont eu l'idée d'adorer les espèces. C'eût été s'en tirer à trop bon marché que de réduire l'événement à un geste ponctuel d'adoration, alors que Jésus leur proposait l'engagement d'une vie entière.

## La fidélité de Paul

Paul est un pharisien, d'une grande rigueur. Avant sa conversion, l'observance des préceptes de la loi et des règles de sa religion est d'importance fondamentale. Quand il se convertit, il comprend que Jésus a répandu son souffle sur la communauté, que les croyants sont animés de ce souffle. Il saisit avec acuité ce que signifie être disciple de Jésus. « Il n'y a plus ni Juif ni Grec ; il n'y a plus ni esclave ni homme libre ; il n'y a plus ni homme, ni femme ; car tous vous n'êtes qu'un en Jésus Christ » (*Galates* 3, 28).

Mais Paul a aussi compris le sens du Mémorial de la Cène, comme lieu d'engagement et de ressourcement. D'aucune manière il n'a voulu en faire un repas de purs. D'aucune manière il n'a pensé que la situation pécheresse ou marginale de qui que ce soit puisse être cause d'exclusion au repas sacré. De cela, la première lettre aux Corinthiens est un vibrant témoignage.

Dans cette lettre, on retrouve un échantillonnage extraordinaire de situations pécheresses que Paul tente de redresser par l'intermédiaire de ladite lettre qu'il écrit à la communauté. Au tout début, il fait mention d'un problème de division (*1 Corinthiens* 1, 11-12); au chapitre 5, il est question d'un cas incestueux : un jeune homme vit avec la femme de son père (sa belle-mère); au chapitre 6, on apprend que les chrétiens portent leurs querelles devant des tribunaux païens (v. 1-11) et que certains fréquentent les prostituées (12-20); au chapitre 11, il fustige les Corinthiens parce qu'ils prennent indignement le repas du Seigneur. Or, c'est cette partie de la lettre (11, 11-34) qui revêt une importance particulière pour notre propos.

Ce qu'on découvre dans ce passage, c'est que le repas se déroule de façon scandaleuse. Les riches s'empiffrent et s'enivrent, tandis que les plus pauvres ont faim. Non seulement il n'y a pas de partage, mais les pauvres sont humiliés. C'est exactement ce manque à la charité à l'intérieur du repas que Paul reproche à certains participants. Mais il n'exclut aucun de ceux qui se sont rendus coupables des « péchés » dont fait état la première partie de la lettre. La réprimande porte expressément sur la façon de prendre le repas.

À retenir : Paul avait bien saisi que les Corinthiens, qu'il traite de « bébés dans la foi » (3, 1-3), avaient besoin de se renforcer en participant au repas du Seigneur et que ce n'était pas en excluant certaines catégories de personnes qu'il les aiderait.

# Et nous?

À la lumière de ce qui précède, quand on considère l'exemple que nous a donné Jésus, et que Paul n'a pu faire autrement qu'imiter, quelle attitude devons-nous adopter au sujet du droit à la fréquentation du Mémorial de la Cène? Comment devons-nous nous situer face aux chrétiens et chrétiennes considérés comme marginaux par les autorités officielles? Incliner la tête et dire « le magistère en a décidé ainsi et je dois me soumettre »... même si, de toute évidence, cela contrevient à l'attitude que Jésus a lui-même adoptée à l'endroit des exclus? Ou bien vais-je me tenir debout et dire, à l'instar de Pierre : « Il me faut obéir à Dieu plutôt qu'aux hommes » (Ac 5, 29)?

Si je me fais complice de ceux qui se permettent de frapper d'exclusion certaines catégories de chrétiens, je risque de me faire réprimander par Jésus de la même manière qu'il l'a fait à l'endroit des pharisiens. Qui plus est, en prenant ce parti, je cesse d'être son disciple, c'est-à-dire je cesse d'être chrétienne (le sens d'être chrétien, c'est précisément être disciple du Christ), car je délaisse les voies qu'il m'a proposées.

Par ailleurs, si à l'instar de Jésus, je me vois dans la pénible obligation d'aller à l'encontre des directives des autorités aux rennes de ma religion afin de demeurer fidèle à la vision de l'être humain véhiculée dans les écrits sacrés et par Jésus lui-même, eh bien! j'agis en chrétienne et je demeure, de ce fait, disciple de Jésus, Christ. Personnellement, je donne priorité à mon statut de disciple du Christ.

Je conclus que nous n'avons aucun droit de déterminer qui est digne ou indigne de participer au repas de Jésus. Qu'il s'agisse des homosexuels, des divorcés remariés ou des personnes séparées vivant en union libre, ces catégories constamment pointées du doigt, si ces gens souhaitent vivre pleinement leur foi selon leurs convictions, nous serions bien mal venus de les exclure au nom du Christ, qui, lui, s'est assis à la table des exclus et a partagé leur repas.

# « PASSEZ À TABLE, MONSIEUR LE CARDINAL ! »

*Forum André-Naud (Montréal)*

Le Forum André-Naud se veut un regroupement de personnes qui favorisent des lieux de dialogue en Église (catholique) et la libre pensée des filles et des fils de Dieu selon l'esprit de Vatican II. Déjà en 2006, une prise de parole sur l'exclusion des personnes homosexuelles avait créé quelques vagues qui ont tôt fait de perturber le paysage vatican… Le ressac s'est fait sentir et des rappels à l'ordre ont été faits.

Le Forum André-Naud ne combat rien ; il laisse vivre et tient, par ses prises de parole, à dire tout haut qu'il existe une autre Église que celle correspondant à l'image projetée par la hiérarchie institutionnelle catholique. Des gens éveillés et engagés à faire lever la pâte humaine pour qu'un monde meilleur advienne croient qu'il est pertinent, à cette heure-ci, de rappeler que plusieurs personnes ne se sentent pas à l'aise à la vue de la table eucharistique qui déjà se dresse pour le Congrès de Québec 2008. La grande nappe blanche, tout empesée, qui recouvrira l'autel de ce Congrès fait peur à certains, en déçoit d'autres et détourne même, par sa mise en scène à saveur de déjà-vu, l'attention des questions réelles que doit se poser l'Église catholique si elle veut toujours avoir l'audace de faire eucharistie au cœur des défis du monde.

Le Forum André-Naud (Montréal) vous lance une invitation, Monsieur le Cardinal, primat de l'Église canadienne, organisateur en chef de ce Congrès : « Passez à table ! » Mais cette table ne ressemble guère à celle derrière laquelle vous présidez habituellement les eucharisties — inévitablement aussi la grand-messe de Québec, l'été prochain. Il s'agit davantage d'une simple « table pliante » que l'on peut déplacer, transporter. Une table amovible qui osera se dresser là où des paroles doivent se faire entendre pour que l'eucharistie, un héritage et une mission merveilleuse laissés par Jésus de Nazareth à l'humanité, rejoigne d'autres chercheuses et chercheurs de Dieu. Nous prétendons que la majorité des gens est désormais à la recherche de telles tables !

— Dépliez les pattes de cette table auprès de ces personnes auxquelles vous désiriez demander pardon l'automne dernier. Osez leur dire que les nombreuses réactions suscitées à la suite de votre geste précipité, sans la solidarité de vos autres confrères évêques, vous ont appris qu'une demande de pardon, pour qu'elle soit véritable, doit d'abord libérer la parole des gens blessés. C'est à ce compte que l'on exprime le « ferme propos »… à tout le moins, celui de ne plus jamais exclure.

— Transportez la table là où des gens célèbrent toujours, mais autrement, la Cène du Seigneur. Des formes différentes, plus ouvertes, nouvelles, créatrices, permettent à des gens engagés au nom de Jésus Christ de répondre à l'appel du Seigneur : « Faites ceci en mémoire de moi ! » Venez placer votre table au côté de toutes ces autres qui existent bel et bien et qui regroupent des jeunes, des femmes, des personnes luttant au nom de l'Évangile pour que la justice compose des situations de vie meilleures. Tous ces gens se sentent moins bien dans nos églises ; ils ont appris à faire eucharistie autrement !

— Portez attention à la façon dont se disposent les gens autour de cette table pliante ; c'est le lieu de leur prise de parole. Elles sont femmes. Elles ont tout à nous dire de la féminité du monde, cette richesse qui nous est essentielle pour comprendre Dieu. Regardez comment elles sont pasteures autour de ces tables simples, ouvertes et vraies.

— Passez à table en redisant « Heureux les invités au repas du Seigneur ! » sans arrière-pensée, avec ces hommes et ces femmes au mystère amoureux différent de la majorité, ces « hors normes » aux yeux de l'Église. Redites « Heureux les invités au repas du Seigneur ! » à ces autres qui ont connu l'échec dans leur projet d'amour et qui y croient toujours, mais se font refouler aux tourniquets du banquet eucharistique.

— Et plus encore, allez frapper à la porte de nos frères et sœurs chrétiens d'autres confessions pour leur demander simplement comment la table les rassemble et les engage. Dites-leur que le partage de leur expérience nous enrichirait. Faites de même avec les autres religions et les grands mouvements spirituels qui alimentent notre monde.

Que des catholiques se rassemblent l'été prochain à Québec pour faire la fête et, par un congrès et une grande mise en scène liturgique, rappellent que cette expression de foi existe toujours, ça nous va ! Mais cette image ne doit pas en occulter d'autres, aussi vraies et essentielles, celles de centaines de chrétiennes et de chrétiens qui, à la base, militent, se réclament d'une même tradition et l'appellent à composer davantage avec la réalité de vie des gens d'ici. De cela, le Forum André-Naud peut témoigner, puisqu'il s'enracine dans plusieurs diocèses québécois.

Un jour, Monsieur le Cardinal, il vous faudra bien passer à d'autres tables !

# TABLE MISE OU POTLUCK?

*Alain Ambeault, c.s.v.*

Mes années de travail en pastorale paroissiale m'ont amené au sud-ouest de la province, petite pointe du territoire québécois qui s'efface aux limites de ses voisines ontariennes et états-uniennes. C'est toujours avec un *rictus* un peu moqueur que mes confrères et moi accueillions le commentaire de gens qui nous disaient vouloir vérifier si nous avions besoin de quelque chose alors qu'ils passaient simplement par là. On ne passe pas par Huntingdon… on y vient et on retourne; c'est un peu le bout de l'entonnoir québécois!

J'ai beaucoup aimé les gens d'Huntingdon, et ce, bien avant que son célèbre maire veuille imposer un couvre-feu à la jeunesse et amorce du coup une carrière médiatique succincte et, faut-il l'avouer, quelque peu tapageuse. Des gens simples et un tissu humain profondément marqué par la cohabitation pacifique des cultures francophone et anglophone. L'ombre projetée par le clocher catholique ne gênait guère celle de ses voisins protestants. Au moins trois autres confessions chrétiennes célébraient le Dieu de Jésus Christ dans leurs traditions propres.

Bien avant l'heure du discours sur les accommodements raisonnables et la Commission Bouchard-Taylor, la ville d'Huntingdon avait réussi à se confectionner un quotidien dont le tissu était solidement constitué d'un va-et-vient entre les habitudes des uns et des autres, d'une foi qui ne craignait guère de s'associer sans plus de façon à celle des autres. De l'œcuménisme de bon voisinage, direz-vous? J'y vois surtout ce bon jugement des gens qui avaient compris depuis longtemps que les chicanes de religions ont peu à voir avec une unité des chrétiens qui tire sa source de la reconnaissance du Dieu de Jésus Christ dans l'agir de ceux et celles qui les environnent. *Vous êtes les bienvenus*, nous disions-nous d'un perron d'église à l'autre… *We expect you next week for our annual potluck dinner*, nous lançaient ceux que nous avions accueillis quelques semaines auparavant.

Les *potluck dinners*, ces repas communautaires où chaque convive garnit la table de ses créations culinaires, m'ont toujours impressionné. Tradition anglo-protestante bien enracinée, elle offre aux participants le témoignage d'un geste qui a quelque chose à dire à notre volonté de retrouver une table accueillante… celle qui favorise la création de relations eucharistiques, points de reconnaissance, d'identité et d'engagement. L'eucharistie a plus besoin d'un lieu d'accueil décloisonné de notre humanité, d'un espace mémorial aux dimensions réelles de nos joies et peines et d'un réseau de relations vraies que d'une belle grande table nappée de blanc aux couverts tellement bien disposés que l'on se fige en l'approchant. À l'occasion, certaines tables peuvent couper la parole… l'eucharistie a besoin aussi de la nôtre pour advenir !

Entre nos tables des grands banquets aux couleurs harmonisées et aux gestes calculés et celle de ces *potluck*, il y a tout un monde ! Une conviction : l'eucharistie ne peut renaître que d'une table pêle-mêle… non pas insignifiante, mais disposée à la façon dont s'accumulent souvent nos expériences et évolue notre monde.

Les *potluck* de Huntingdon impressionnaient moins par leur style que par le geste spontané des gens qui disposaient, à leur gré, leur apport sur cette table de l'abondance et de la rencontre. On ne pouvait prendre part à ces fêtes qu'en faisant d'abord le tour de la table, question de constater, de reconnaître ces mets disparates, signature des uns et des autres. À ces occasions, rien n'est servi à l'assiette… chacun y va de la constitution d'un repas qui provient un peu d'un chacun. L'unité vient moins de l'ordonnance des choses que du geste réussi du partage. Le *potluck dinner* de nos amis protestants n'a rien de gagné d'avance ; il porte toujours le risque de son succès, de ce qui est attendu et apporté, le risque d'un partage jamais assuré, celui d'un lieu où tout peut se créer et se défaire ! Et que dire du risque de l'après… ?

N'est-ce pas ainsi que peut se redisposer une table eucharistique ouverte et signifiante pour notre monde ? Un lieu du
risque… celui d'un véritable partage qui ne peut au préalable figer les convives à des places et dans des façons de faire
qui font perdre de vue la circularité de cette table. Celle-ci
crée un mouvement de foi qui incite à la reconnaissance du
Vivant, moment sommet et début d'une nouvelle aventure
pour que son Règne arrive. Pour une signifiance retrouvée de
la table eucharistique, un bien-être réel qui ne soit pas théorique, mais un lieu où il fait bon vivre pour notre humanité
en mal d'espace de ressaisie, de reconstruction, d'oxygéna-
tion de l'âme, il faut que nous acceptions que chacun ne s'approche pas les mains vides et que nous invitions toutes et tous
à déposer, comme bon leur semble, leur pain quotidien, leur
mets de tous les jours au côté d'un pain et d'une coupe qui,
sans eux, n'ont pas leur raison d'être. Les plats doivent nous
renvoyer les uns aux autres pour que l'eucharistie advienne ;
l'harmonie de l'ensemble porte le nom d'un Dieu qui s'offre
à rencontrer l'espace réel des gens.

Pourquoi ce détour culinaire alors que le sujet de ce blogue
est l'eucharistie ? Un peu naïvement, peut-être, parce que le
rappel de cette expérience des *potluck dinners* d'Huntingdon met en lumière une simple table qui prend vie et devient l'occasion d'un partage réel aux limites étonnantes. Au
terme, chacun s'engageait à repartir les mains pleines au
profit d'autres, absents ou nécessiteux, qui prolongeaient
ailleurs l'esprit de la fête.

Belle table eucharistique, celle de mains pleines à l'arrivée et au départ. Entre ces deux moments, la rencontre du Vivant alors qu'il n'y a plus rien d'artificiel !

# LE SONGE DU BANQUET

*Forum André-Naud (Joliette)*

L'autre jour, j'étais en prière, absorbé par des réflexions sur la mort, les passages de la vie, l'après-vie. Des questions se bousculaient dans ma tête, entremêlées d'angoisses et de rêves. Soudain, j'eus un songe.

Je me promenais dans les jardins éternels, pour employer une image coutumière, quand des anges viennent à ma rencontre. Ils sourient, leur visage est lumineux. Nous nous promenons longtemps dans les jardins et soudain, les anges me font voir les enfers d'abord ! J'ai le ventre barré par la peur et même par la stupeur ! Ce que j'aperçois me fige. Je vois une très longue table de banquet richement ornée de fleurs, de chandelles et de mets savoureux et même appétissants. De chaque côté de la table, beaucoup de monde assis, la mine basse, les traits tirés, le visage famélique, les yeux remplis de mépris. Je suis consterné devant la scène. Ce qui me surprend le plus, c'est que chaque convive tient en main une fourchette d'un mètre de long : impossible de porter à sa bouche la moindre nourriture. C'est infernal comme ambiance. Tout le monde semble agressif et les injures fusent de toute part.

Les anges me conduisent ensuite vers les portes du ciel, un lieu renversant de beauté. Là aussi je vois une très longue table de banquet toute décorée de fleurs, de fruits, de mets savoureux. Encore là, des gens de toutes conditions se côtoient dans une ambiance de paix et de tendresse. Chaque convive tient une fourchette similaire à celles que j'avais vues dans les profondeurs infernales. Mais là, ô miracle, chaque personne fait manger son voisin d'en face. On entend des cris de joie, des mots d'amour.

Et je vois ensuite le Seigneur Jésus lui-même s'approcher de la table du banquet. Je le vois servir les uns ou les autres avec un regard tellement rempli de douceur que je me mets à pleurer. Le Seigneur Jésus passe d'un convive à l'autre en écoutant les confidences qui lui sont faites. J'entends près de moi une femme lui avouer son étonnement d'avoir sa place au banquet céleste, à la table du Seigneur, elle qui a été mise à l'écart de la sainte table parce qu'elle vivait avec une autre femme. Un autre dit à Jésus : « C'est curieux, moi je me suis toujours senti exclu de la table de mon Église depuis mon divorce d'avec Claire, et surtout depuis mon remariage. J'en ai beaucoup souffert. » J'en entends un autre dire : « Moi je pensais que c'était pas ma place ici à cette table céleste, car les gens de ma communauté et même un confrère-prêtre m'ont jugé sévèrement après que j'aie quitté ma vie de prêtre. Si tu savais, Jésus, comment j'ai vécu dans le rejet. » Un autre, un homosexuel celui-là, dit à Jésus :

« Si tu savais comme je me sens comblé d'avoir ma place chez toi. J'en ai bavé un coup pendant ces années où j'ai dû subir tant de paroles de mépris. »

En voyant le Seigneur Jésus ouvrir ainsi son cœur, je me souviens de sa rencontre avec la Samaritaine, elle, l'étrangère, à qui il a donné de l'eau vive. Je me souviens du fils prodigue pour qui le père a fait la fête ; je me souviens aussi du bon larron entré avec Jésus dans le Royaume ; je me souviens de Matthieu, le publicain, avec qui Jésus a pris son repas. Je me souviens de Pierre à qui Jésus a fait confiance malgré son reniement. Je revois tous ces malades pour qui Jésus est venu sur terre. C'est vrai, Jésus n'a-t-il pas été accueillant envers toutes ces personnes qui vivaient des exclusions, ne les a-t-il pas accueillies à sa table ?

Et, en recevant ces confidences, le Seigneur Jésus devient tout triste et peiné de réaliser comment son Église a exclu tant de gens à la table du banquet. Alors, Jésus crie d'une voix forte : « Venez, les bénis de mon Père, car j'avais faim, j'avais soif, j'étais marginalisé et exclu et vous êtes venus jusqu'à moi... »

Cette voix forte de Jésus me fit sursauter et je sortis précipitamment de mon songe... J'étais devenu bien songeur...

# À TABLE !

*Le Mouvement des Travailleurs Chrétiens (MTC) région de Québec*

Tout le long de notre vie, nous nous retrouvons à différentes tables où nous donnons et nous recevons. Ces tables nous permettent d'apporter notre contribution au monde. Ce sont d'abord les diverses tables de travail qui sont associées à des emplois : de la table à dessin à la table du boulanger, en passant par l'établi, le pupitre ou le banc de scie. Des personnes actives avec ou sans salaire se retrouvent également autour de la table de cuisine, de la table à langer ou d'une table de réunion.

Les assemblées d'un organisme, les réunions de conseils d'administration, les comités de négociation se passent autour de tables décisionnelles, et ces choix influencent la vie d'un grand nombre.

Il y a enfin les tables conviviales autour desquelles les familles et amis se réunissent, se retrouvent, où les joies et les tristesses, les soucis, les espoirs et les rêves, et même les mots d'amour se partagent avec la nourriture.

## Les tables fréquentées par Jésus

On peut se douter que Jésus, le fils du charpentier, a eu à construire des tables. Ce qui est sûr, cependant, c'est qu'il en a fréquenté plusieurs : celles des exclus qu'on lui a reproché de fréquenter (*Marc 2*, 13-17); celles de plus riches où il leur a demandé d'être solidaires (*Luc* 14, 12-14); les tables « virtuelles » de la multiplication des pains, où c'est la terre même qui a servi de table (*Matthieu* 14, 13-21). Enfin, à table, à son dernier repas avec ses amis (*Marc* 14, 22-24; *Jean* 13-17), il a voulu bien faire comprendre le sens de toute sa vie, donnée pour ceux et celles qui passent toujours en dernier, pour que tous aient la vie en abondance.

## De la place autour de nos tables ?

Le fait de se mettre à la suite de Jésus nous amène à nous poser des questions, histoire d'être cohérents avec ce que nous prétendons être. Y a-t-il de la place pour tout le monde autour de nos diverses tables ?

À nos tables de travail, certaines personnes, en essayant d'avoir une place à l'emploi, se retrouvent assises entre deux chaises et doivent occuper des emplois précaires. Des groupes de personnes n'ont pas la parole dans nos sociétés et n'ont pas leur mot à dire à nos tables de discussion que sont les médias. Il y a des gens qui « passent en dessous de la table » dans notre société et qui n'ont pas accès aux ressources nécessaires pour combler leurs besoins de base et mener une vie digne.

Nous préoccupons-nous de savoir comment la nourriture arrive sur nos tables ? Justement, les évêques du Québec publient ce 1ᵉʳ mai 2008 un message sur le monde rural. Les évêques nous rappellent que la mission de l'agriculture consiste à développer la fertilité de la terre, à nourrir les populations et à fournir un revenu équitable aux hommes et aux femmes qui y travaillent. Depuis quelques semaines, nous voyons des populations inquiètes pour le prix des aliments de base. Sommes-nous préoccupés des conditions de travail de ces hommes et ces femmes qui produisent la nourriture de nos tables ?

## En sortant de table

La célébration de la messe du dimanche nous amène à fréquenter la table de la Parole et la table de l'eucharistie, l'Autel. Nous nous y laissons interpeller par la Parole et nous présentons au Seigneur nos vies, notre travail et nos engagements. Ces offrandes sont consacrées. Nous y recevons le pain, partagé dans la fraternité, sûrs de la présence de Jésus qui nous invite à le suivre dans nos vies où nous avons à poursuivre le partage et la fraternité. Quand nous sortons de ces tables, comme Jésus à son dernier repas quand il a lavé les pieds de ses disciples, nous sommes renvoyés aux tables de la vie où, à la suite de Jésus, nous sommes appelés à servir et à nous assurer que tout le monde ait une place. Le message de l'Assemblée des évêques se termine par cette phrase : « Le Congrès eucharistique international 2008, à Québec, sera l'occasion de rappeler combien le mémorial de la messe nous invite à partager les fruits de la terre et du travail des humains. Nous sommes conviés (à partir de la table) à poursuivre avec d'autres un engagement solidaire pour la protection de la terre et le bien de l'humanité. »

Le Mouvement des Travailleurs Chrétiens vous souhaite un bon partage autour de vos tables de vie, une communion nourrissante et un Congrès eucharistique stimulant!

# ADORATION OU MÉMORIAL D'UNE VIE ?

# PARTAGER OU REGARDER ?
# RETROUVER LE GESTE DU PAIN
# ET DE LA COUPE

*Guy Lapointe, o.p.*

Depuis quelque temps paraissent des livres, des articles, des textes d'homélies, des documents provenant de Rome, des lettres pastorales écrites par des évêques sur le thème de l'eucharistie, particulièrement en préparation du Congrès eucharistique de Québec de 2008. Plusieurs de ces textes mettent un appui très soutenu sur l'adoration. Tant d'interventions écrites ou orales révèlent qu'il y a un réel problème autour de l'eucharistie et de ses pratiques. La difficulté de vivre des célébrations eucharistiques significatives dans différentes assemblées n'est pas indifférente à ce désir d'une participation autre à l'eucharistie. Mais avec le risque évident d'un déséquilibre. L'eucharistie restera toujours partage d'un pain et d'une coupe ensemble, jeu du corps et de la foi, espace de mémoire au cœur du monde.

Deux questions me paraissent ressortir. La première a trait à l'insistance de la pratique de l'adoration eucharistique devant le saint sacrement exposé, avec ostensoir, processions, encens, etc. Quel est le sens de cette pratique ? La deuxième surgit d'une affirmation courante : ce sont les jeunes qui manifestent et mettent en œuvre ce désir de vivre l'adoration. Je me pose une question : qui conseille et guide ces jeunes ? Même si est affirmée la pertinence de la célébration de l'eucharistie — et on sait dans quel état se retrouve en bien des endroits la table de l'eucharistie —, n'y a-t-il pas un danger de dérive ? Me vient une image pour décrire la situation actuelle de la pratique eucharistique : on semble passer du geste de *partager le pain et la coupe en mémoire de Lui*, à celui de *voir l'hostie* et l'adorer.

Retrouver une table eucharistique comme un moment de partage en mémoire de Lui et en mémoire du monde, tel est le défi à relever. La contrainte de la faim tisse un lien d'humanité qui nous permet d'approcher autrui. C'est le moment plus que jamais de nous redire cette parole de saint Augustin : « Vous êtes le corps du Christ ; recevez ce que vous êtes » (Serm. 227). Ne sommes-nous pas alors invités à vivre l'eucharistie en proximité de l'esprit de la dernière Cène, souvenir majeur d'un défi d'action et de construction du monde à relever ? L'eucharistie est un art qui nous amène à connaître et à exprimer toujours plus pleinement le mystère de Dieu ainsi que les réalités historiques de la vie et à les saisir en un même souffle.

La célébration eucharistique est-elle encore un espace capable d'ouvrir la fraternité humaine à la mémoire de Jésus et d'aider à mieux vivre la fragilité de l'être-ensemble et à faire Église ? À quoi l'eucharistie doit-elle nous ouvrir les yeux afin que nous puissions participer plus pleinement à l'action de Dieu et à la nôtre au cœur du monde ?

## ADORATION ET SOLIDARITÉ HUMAINE : DE JEANNE LE BER AU FRÈRE ANDRÉ

*Gérard Laverdure*

Les groupes d'adoration eucharistique sont répandus dans l'Église du Québec. Cette pratique a suivi l'implantation des Français à Ville-Marie. Elle devrait se développer avec le prochain Congrès eucharistique de 2008 à Québec. L'eucharistie étant d'abord un repas fraternel où Dieu se donne lui-même en nourriture, une pratique d'exposition de l'hostie au regard du croyant semble en détourner le sens. Comme je suis membre associé depuis quelques années aux Recluses Missionnaires qui ont consacré leur vie à l'adoration perpétuelle, cette question m'interpelle beaucoup. Notre devise est « offrir et s'offrir, par Lui, avec Lui et en Lui », et que toute notre vie devienne eucharistie, comme celle de Jésus. « Offrir vos personnes en hostie vivante, sainte, agréable à Dieu, voilà pour vous la véritable adoration », dira saint Paul (*Romains* 12, 1).

Il est tellement plus confortable et rassurant de se retrouver seul à seul avec Dieu, dans le silence et la paix d'une chapelle, que de mettre les pieds dans notre monde de violences massives et d'injustices universelles. Même les relations quotidiennes avec nos parents et amis, nos voisins et les prochains que l'on croise dans la rue, surtout dans les grandes villes, ne sont pas de tout repos. « Qu'il est difficile d'aimer », chante Vigneault. Alors accueillir et aimer sans jugement tous ces « étrangers » étranges qui nous tombent dessus… La Commission Bouchard-Taylor nous en fait voir de toutes les couleurs là-dessus. Mieux vaut aller adorer tranquille à l'écart ! L'adoration eucharistique peut être une belle fuite du monde et de nos responsabilités de disciples de Jésus qui, lui, s'est solidarisé jusqu'à la mort avec ses concitoyens opprimés.

La spiritualité des Recluses Missionnaires s'inspire beaucoup de l'École française de spiritualité et, de façon particulière, de Jeanne Le Ber (1662-1714), la recluse de Ville-Marie. Les personnages à l'origine de cette spiritualité — Bérulle, Olier, Eudes, Vincent de Paul, Grignion de Montfort — et les communautés qui la vivent encore aujourd'hui, ont su conjuguer adoration/prière et engagement réel auprès des exclus et opprimés de leur époque. Elles ne pouvaient méditer les mystères de l'incarnation et de notre libération sans s'incarner elles-mêmes dans les espoirs et les souffrances de leurs frères et sœurs. Elles ne pouvaient accueillir à cœur ouvert ce Dieu qui se livre à nous sans réserve sans se livrer elles-mêmes au quotidien. Elles ne pouvaient garder jalousement pour elles seules les flots de l'Amour qui est justement débordement, compassion, communion, solidarité. Ce Dieu qui s'est révélé dans un cœur à cœur avec Moïse en lui disant : « J'ai *vu la misère* de mon peuple en

Égypte et je l'ai *entendu crier* sous les coups… et j'ai décidé de le délivrer… et je t'envoie… » (*Exode* 3, 7-10). Pas très reposant, ce Dieu-là. Et Jésus poursuit dans le même esprit en exprimant sa mission par la lecture du prophète Isaïe (*Isaïe* 61, 1-2) : « L'Esprit du Seigneur est sur moi, parce qu'il m'a consacré par l'onction, pour porter la Bonne Nouvelle aux pauvres. Il m'a envoyé annoncer aux captifs la délivrance… » (*Luc* 4, 18-19). Et il y a bien des façons de le faire, selon le regard que l'on porte sur cette misère et les poussées intérieures de l'Esprit.

Comment éviter le piège de la fuite du monde dans une piété aseptisée à l'eau de rose ? Je crois qu'une rencontre « en vérité » avec Jésus Christ, un cœur à cœur authentique, ne peut pas ne pas nous ouvrir aux souffrances et aux injustices de notre monde. Et le test, c'est une charité active, un accueil inconditionnel de l'autre, quel qu'il soit. Une telle charité prend sa source, son feu, dans l'amour même de Jésus et s'alimente à la Parole, à l'eucharistie, à la communauté fraternelle, à l'adoration (cœur à cœur intime), à la prière silencieuse ou autre. Elle nous rend frères et sœurs universels. Même les moines et les moniales des monastères vivent l'accueil de tous par leurs hôtelleries et leurs solidarités dans bien des causes de justice. Plusieurs communautés participent aux actions de l'ACAT contre la torture ou au Réseau des communautés religieuses contre l'esclavage sexuel des femmes et des enfants. Elles sont connectées au monde.

Dans notre histoire nous avons une personne laïque qui a poussé à l'extrême (elle serait à la mode à notre époque des extrêmes) l'amour de Jésus dans l'eucharistie, Jeanne Le Ber. Très tôt, après un séjour de trois ans chez les Ursulines de Québec (Marie de l'Incarnation), elle sent l'appel à une vie recluse dans l'adoration et la prière. Les sages et prudents sulpiciens suivront de près cette vocation bizarre. Elle y passera le reste de sa vie, dont une vingtaine dans son « reclusoir » derrière la chapelle des sœurs de la Congrégation Notre-Dame (Marguerite Bourgeoys). Femme équilibrée et pragmatique, elle utilisera sa richesse pour soutenir les pauvres et faire éduquer des jeunes filles de Ville-Marie, confectionnera des vêtements pour eux et sera solidaire des angoisses de ses concitoyens lors de la tentative d'invasion des Anglais. Celui qui l'avait ainsi séduite, au point qu'elle se levait toutes les nuits pour lui être présente, elle l'appelait sa « pierre d'aimant », Jésus dans l'eucharistie. Son amoureux ne l'a pas coupée du monde totalement, au contraire, car lui-même aime le monde passionnément.

Le frère André, dont on ne peut affirmer qu'il s'est retiré du monde avec ces milliers de visiteurs venus chercher consolation et guérison, en plus de les visiter dans leurs maisons, passait beaucoup de temps en cœur à cœur devant le saint sacrement. Il devenait ainsi comme Jésus, à moins que, comme dit saint Paul, ce ne soit Jésus qui prenait place en lui, toute la place, pour continuer de « laver les pieds » des hommes et des femmes d'aujourd'hui. Audacieux, persévérant, compatissant et solidaire des pauvres et des malades de son temps, le frère André !

On pourrait ajouter la pratique d'adoration des sœurs de mère Teresa, qui y puisent amour et force au quotidien. Et Charles de Foucauld. Et des milliers d'inconnus de par le monde.

Je ne sais la tournure que prendra le Congrès eucharistique, mais je suis profondément convaincu qu'il faut absolument relier l'adoration à la table du repas et la table du repas à l'accueil de tous sans restrictions, et enraciner notre solidarité dans l'amour, à la Source qu'est Jésus. J'espère qu'à ce Congrès il n'y aura pas les « bons catholiques » et les autres, le « monde méchant et pervers », mais des « brûlants d'amour » ou des « grands brûlés » par Celui qui aime tant le monde et qui nous a aimés jusqu'au bout, tous. Sinon, on passe carrément à côté des engagements eucharistiques que Jésus a assumés le premier.

# EXCLUSION

# UNE TABLE EUCHARISTIQUE OUVERTE

*Claude Lefebvre*

En parcourant les évangiles, on constate que Jésus a très souvent répondu à des invitations à dîner. Tellement qu'aux yeux de certains, il a projeté l'image du prêcheur « glouton et ivrogne », celui qui mange et boit, contrairement au cousin le Baptiste, l'ascète ; mais celui-là, il avait « perdu la tête » (*Luc* 7, 29ss).

Dans la vie publique de Jésus, la table et le repas apparaissent comme un lieu et un moment privilégiés pour la rencontre amicale, la proclamation du message, la libération d'un malade, l'intégration d'un exclu. Un lieu même où peuvent se dire l'affection et les sentiments délicats (voir Jésus et la pécheresse lors du repas chez un pharisien, en *Luc* 7, 36ss). Vraiment un lieu de vie !

Il y a des invitations que Jésus a provoquées lui-même. Des repas qu'il avait le goût de vivre. « Zachée, descends vite, il me faut aujourd'hui demeurer dans ta maison » (*Luc* 19, 5ss). Plus désiré que tout autre, sûrement, il y eut ce repas avec ses apôtres, la veille de sa mort. « J'ai tellement désiré manger cette Pâque avec vous avant de souffrir » (*Luc* 22, 1ss). C'est à cette Cène que réfèrent tous nos repas eucharistiques par-delà des siècles d'histoire chrétienne et d'innombrables transformations de rituel.

Dans sa réponse aux invitations à dîner, une chose agaçait particulièrement tous ceux qui l'avaient à l'œil pour le prendre en défaut : ce penchant à partager la table des publicains et des pécheurs (*Luc* 15). Sa table était ouverte à tous, et lui-même paraissait ouvert à s'asseoir à toutes les tables auxquelles on l'invitait. Avec une préférence pour les gens qui n'étaient pas en règle. Cette attitude de Jésus, marquante et remarquée, peut nous donner à penser en ces temps où nous nous préparons à vivre le Congrès eucharistique international de Québec de juin 2008.

Une table eucharistique ouverte… que pouvons-nous entendre par là ?

La participation au repas du Seigneur serait-elle devenue le privilège des « purs » ? « Le pain des anges » ? Faut-il se soumettre au contrôle douanier de la confession de ses péchés à un prêtre pour avoir accès à la table ? Et si je suis dans une situation objective et permanente de péché, dû au fait que je vis une relation homosexuelle ? (Mais comment croire que c'est un péché d'aimer pour de vrai quelqu'un de même sexe, quand c'est ma nature ?) Ou encore, si j'ai échoué dans un premier mariage et qu'après une traversée du désert j'ai retrouvé la vie dans une nouvelle relation de couple… qu'en est-il de l'eucharistie pour moi? Je peux rester debout, tout près, mais pas m'asseoir à la table et y communier.

Se pourrait-il que l'Église, par certains éléments de sa doctrine officielle actuelle et de sa discipline, «fabrique des pécheurs publics» comme le faisait la synagogue du temps de Jésus, et les exclut du même souffle de la table des «justes», pour éviter la confusion doctrinale et le scandale? Se pourrait-il même qu'à la lumière de l'Évangile, le scandale ne soit pas là où le magistère craint de le trouver?

Que produit cet écart des consciences entre le magistère, d'une part, et la conscience d'innombrables fils et filles de l'Église, d'autre part? Combien de fidèles sont allés ailleurs — ou nulle part — considérant que la porte, chez eux, leur était désormais fermée? Combien s'en sont remis à l'instance suprême qu'est leur conscience personnelle et sont restés quand même, en se disant: «Nous sommes aussi l'Église»? Qu'arrive-t-il à une institution lorsque l'écart ne cesse de s'élargir entre ses membres et son leadership?

Toutes ces questions reliées à l'eucharistie (l'Église vit de l'eucharistie) méritent réflexion et échange. Les porter, les partager, cela peut représenter pour certains une façon de se mettre en route vers le Congrès eucharistique de Québec. Ce sera la mienne, en tout cas. Porter l'Arche d'Alliance en procession n'est pas la seule façon… qu'en pensez-vous?

# L'EUCHARISTIE :
## TABLE RÉSERVÉE OU TABLE OUVERTE ?

*Normand Provencher*

Heureux, heureuses les invités au repas du Seigneur ! Mais qui sont donc les invités ? Est-ce que la table du Seigneur est une table ouverte à tous ceux et celles qui ont faim et soif ? Ou est-elle une table réservée à des invités choisis et qui en sont dignes ? Dans un stationnement ou encore lors d'une réception ou au restaurant, nous savons ce que signifie le mot « réservé ». C'est clair : « Tu n'as pas ta place ici, va ailleurs. » Est-ce que chacun et chacune de nous peut participer pleinement au repas du Seigneur, en communiant au pain et au vin sanctifiés ?

À cette question, la réponse officielle de l'Église est celle-ci : « Tous les catholiques sont invités au repas du Seigneur — c'est même une obligation d'aller à la messe le dimanche —, mais tous ne peuvent pas communier. » Oui, tous sont invités à se rendre à l'église pour former l'assemblée, écouter la parole de Dieu, chanter et prier, donner à la quête, mais tous ne peuvent pas communier et prendre part pleinement au repas du Seigneur.

Qui donc est digne de communier ? Est-ce que Jésus a répondu à cette question si importante ? Oui, et nous trouvons sa réponse dans le récit de son dernier repas, proclamé à chaque messe. Lors de son repas d'adieu, la veille de sa mort, Jésus dit à ses disciples en leur distribuant le pain rompu : « Prenez, et mangez-en tous. » En faisant circuler sa coupe de vin : « Prenez, et buvez-en tous. »

Allons-nous nous permettre d'enlever ce mot « tous », ou encore de le changer en « quelques-uns » ou en « certains » ? Et Jésus ajoute : « mon corps livré pour vous » ; « mon sang versé pour vous et pour la multitude en rémission des péchés ». Pour vous, c'est-à-dire, ce soir-là, Judas le traître, Pierre le peureux qui va le renier, Jean et Jacques qui se sont déjà querellés pour les premières places dans le Royaume, Matthieu le collecteur d'impôts, Thomas l'incrédule qui veut voir et toucher avant de croire, et les autres qui vont l'abandonner le lendemain. Et la multitude dans le cœur de Jésus ce soir-là, c'est nous tous. C'est avec ces gens-là que Jésus a célébré son dernier repas, ce repas qui est à l'origine de l'eucharistie ; c'est à eux qu'il a donné son commandement : « Faites ceci en mémoire de moi. »

Jésus a confié à l'Église la célébration de l'eucharistie. On peut affirmer, sans fausser la vérité, que les responsables dans l'Église n'ont pas toujours été très à l'aise avec l'étonnante générosité de Jésus, avec le « mangez-en tous ». Très tôt, elle a pratiqué l'exclusion et l'excommunication de certains de ses membres qui s'égaraient dans la foi ou qui commettaient des fautes graves. Au cours des âges, on a tellement insisté sur la grandeur et la sainteté du mystère eucharistique et sur l'indignité des chrétiens et chrétiennes qu'on en est venu à communier très rarement, tout au plus une fois l'an. L'Église a été obligée de faire de la communion annuelle, durant le temps de Pâques, une obligation grave, un commandement.

Il faut attendre le pape saint Pie X, au tout début du XXᵉ siècle, qui encouragea la communion fréquente. Cette pratique a pris du temps à s'instaurer. Jusqu'à Vatican II, on ne communiait pas à la grand-messe du dimanche ; tout au plus quelques personnes, et habituellement avant la grand-messe. Plusieurs, surtout les hommes, ne s'approchaient de la sainte table qu'à Noël et à Pâques. Les gens de mon âge s'en souviennent. Il faut préciser qu'à ce moment, il fallait être à jeun pour communier, aucune nourriture et pas même un peu d'eau depuis minuit. Et pourtant, Jésus avait institué l'eucharistie à l'occasion d'un repas !

Au tout début de l'Église, vers les années 60, la question de la communion s'est posée dans la jeune communauté de Corinthe. À ce moment, l'eucharistie se célébrait à l'occasion d'un repas. Des abus étaient courants. Certains buvaient trop, d'autres refusaient de partager avec ceux qui n'avaient rien ou peu. Mis au courant de la situation, Paul leur adresse une lettre très claire et ferme qui demeure pour nous l'un des textes bibliques importants sur l'eucharistie.

Paul tient à remédier fermement aux divisions et aux abus dans le boire et le manger qui sont en contradiction avec le repas du Seigneur : « C'est pourquoi celui qui mangera le pain ou boira la coupe du Seigneur indignement, se rendra coupable envers le corps et le sang du Seigneur. Que chacun s'éprouve soi-même, avant de manger ce pain et de boire cette coupe ; car celui qui mange et boit sans discerner le corps du Seigneur mange et boit sa propre condamnation » (*1 Corinthiens* 11, 27-30).

Cet enseignement de Paul, qui est pour nous parole de Dieu, a beaucoup marqué la conscience chrétienne, surtout le mot « indignement ». Que mettre sous ce mot ? Ce que Paul demande, c'est de reconnaître et de croire que le pain et le vin du repas fait en mémoire de lui ne sont pas une nourriture et une boisson ordinaires, comme celles que nous avons sur nos tables : de façon mystérieuse et très réelle, c'est le corps et le sang du Seigneur Jésus. De plus, Paul demande de saisir les exigences ou les implications que comporte la réception du corps et du sang du Christ. On ne peut pas se permettre d'entretenir des divisions, de mépriser les autres, de refuser de partager sa nourriture et, en même temps, communier au pain qui est le corps du Christ. Pourquoi ? La réponse est claire : les membres de l'assemblée forment aussi le corps du Christ : «Vous êtes le corps du Christ, écrit saint Paul, vous êtes ses membres, chacun pour sa part » (*1 Corinthiens* 12, 27).

En d'autres mots, Paul demande de considérer et d'accepter d'abord les autres comme des membres du corps du Christ avant de communier dignement et en vérité. [...]

\*\*\*

Devant un si sublime et saint mystère qu'est l'eucharistie, nous sommes tous indignes. Il est nécessaire de le reconnaître et de l'admettre. Personne n'a droit ni ne mérite un tel don. Les mots que Pierre adressa à Jésus lors d'une pêche exceptionnelle, nous pouvons les faire nôtres : « Seigneur, éloigne-toi de moi, car je suis un pécheur » (*Luc* 5, 8).

Pourtant, la grandeur et la sainteté de l'eucharistie ne nous éloignent pas du Seigneur. Au contraire, le Seigneur tient à se faire proche de nous et à se donner à nous tels que nous sommes, avec nos limites et nos fautes. Le pain et le vin de l'eucharistie ne sont pas une récompense bien méritée pour des personnes qui n'ont rien à se reprocher, encore moins une attestation de bonne conduite. Aux portes de la basilique, on a indiqué : « Réservé à ceux et celles qui ont faim et soif. » Nous y sommes tous et toutes entrés. Avons-nous vraiment notre place ici ? Oui, nous formons une assemblée d'affamés et d'assoiffés. Nous sommes une assemblée de pécheurs, de pécheurs pardonnés et qui veulent toujours mieux aimer.

Le pain de nos eucharisties est un pain de route, un pain de pèlerins en marche, un pain pour des itinérants dans la foi et l'espérance. C'est un pain pour nous et pour la vie présente, non un pain destiné aux anges et aux saints et saintes du ciel. C'est le pain de vie, le pain de la résurrection, mais pour la vie présente qui débouchera sur l'éternité, un pain à manger dès aujourd'hui pour vivre éternellement.

Quand le prêtre dit avant la communion : « Heureux les invités au repas du Seigneur », certains dans l'assemblée se disent, non sans souffrance : « Ce n'est pas pour nous. » Nous savons que d'autres ne viennent plus à la messe, car ils n'ont plus leur place autour de la table. Et pourtant, le prêtre ne dit pas : « Heureux les invités qui observent tous les commandements de Dieu et de l'Église ! » ou encore : « Heureux les invités qui ne connaissent pas d'échec ! » ou « Heureux ceux et celles qui ne se sont pas blessés ou qui n'ont pas erré sur les routes de la vie ! »

*Extrait d'une homélie prononcée
à la Basilique du Cap-de-la-Madeleine le 14 août 2007*

# OÙ S'EN VA L'EUCHARISTIE ?

*Forum André-Naud (Trois-Rivières)*

Du 15 au 22 juin prochains, le Congrès eucharistique international fera chanter Québec d'une joie singulière. Car, venus du monde entier, des milliers de catholiques transformeront la capitale nationale en capitale mondiale de l'eucharistie. C'est pourquoi, quelles que soient notre foi et nos pratiques religieuses, à nous, gens du Québec, nous pouvons considérer cet événement comme l'âme des célébrations du 400ᵉ anniversaire de la fondation de Québec.

En prenant part, en tout ou en partie, à ce 49ᵉ Congrès eucharistique international, nous avons une espérance, fragile, il est vrai, parce qu'elle porte sur un changement important de l'enseignement du magistère. L'espérance que d'un Congrès à l'autre — célébré tous les quatre ans — Rome en vienne le plus tôt possible à mettre progressivement fin à l'eucharistie des exclusions. Car l'eucharistie qui devrait nous rassembler aujourd'hui est, en fait, à cause de l'enseignement du magistère, très « excluante ».

En effet, au moment de la communion, le prêtre présente l'hostie aux fidèles en disant : « Heureux les invités au repas du Seigneur ! » En d'autres mots : la table est dressée, réjouissez-vous et avancez. Mais l'invitation est sélective, loin d'être générale ou inclusive. Car Rome a déjà décrété que ne peuvent communier ni les divorcés remariés (*Catéchisme de l'Église catholique*, n° 1650), ni les personnes qui ont des relations sexuelles hors mariage (*CEC*, n° 2390). Ces fidèles qui ont préparé la table comme les autres doivent donc se contenter de les voir manger.

S'il est totalement aligné sur les directives romaines, le prêtre pourrait dire en substance ces « paroles amères : "Viens ici, étranger, prépare la table, si tu as quelque chose, donne-moi à manger [puis] Va-t-en, étranger, fais place à plus digne." » (*Siracide* 29, 25-27). Si l'on ne peut nourrir les gens, a-t-on le droit de les appeler ?

Jésus demande à un légiste de prendre exemple sur le Samaritain qui a fait preuve de bonté ou de compassion envers un homme abandonné à son sort, malgré son état pitoyable : « Va et, toi aussi, fais de même » (*Luc* 10, 37). Il nous semble que les liturgistes romains, qui n'ont pas l'air de briller de compassion pour les blessés de la vie, les blessés de l'amour, auraient plutôt dit à ce légiste : « Va, mais toi, fais tout le contraire. »

S'il y a un seul baptême, selon saint Paul (*Éphésiens* 4, 5), il y a deux eucharisties, selon les normes romaines.

L'eucharistie des catholiques, disons, de stricte observance, et l'eucharistie des autres, traités comme des exclus ou comme des sœurs et frères séparés avec qui « l'intercommunion » est encore impossible.

Tel que Rome la veut, l'eucharistie fait encore d'autres exclus. Elle exclut de l'autel les femmes et les hommes mariés, car seuls les célibataires de sexe masculin peuvent accéder au sacerdoce. Il est vrai que les diacres permanents, des hommes pour la plupart mariés, ont une place à l'autel, mais leurs épouses, qui ne peuvent pas devenir diaconesses, doivent rester à distance. Pourtant, ces hommes et ces femmes se sont unis devant l'autel. Qu'importe ! Ils doivent se séparer à l'autel. Les lois romaines sont parfois des joueuses de tours…

Nous espérons qu'au 50e Congrès eucharistique international, Rome va moins nous désespérer en nous montrant, à l'eucharistie de clôture, au moins quelques femmes diaconesses et quelques hommes mariés devenus prêtres. Et pas trop loin du Saint-Père ou de son représentant !

Par son enseignement, le magistère exclut directement un nombre considérable de fidèles, mais combien plus encore indirectement ! Surtout des jeunes. Parce que Rome n'admet ni au sacerdoce des hommes et des femmes mariés, ni à la communion les fidèles dont nous avons parlé, ni au mariage les prêtres de rite latin, les jeunes sont véritablement scandalisés. L'Église a perdu tout crédit à leurs yeux. Elle a beau s'engager de façon parfois héroïque pour certaines causes plus que nobles, les jeunes ont fait leur deuil d'elle, après leur confirmation qu'on peut appeler le dernier sacrement.

Il faut une sérieuse dose de naïveté pour croire que les jeunes, sauf de rares exceptions, reviendront à l'eucharistie, d'autant qu'ils ne peuvent pas supporter la parole unique et investie d'autorité du prêtre qui commente la parole de Dieu. Ce qu'ils veulent? Le dialogue ou le partage sur ce qui fait vivre et sur ce qui empêche de vivre. Que les prêtres se le tiennent pour dit : pas de dialogue, pas de jeunes. Mais l'instruction *Redemptionis Sacramentum*, publiée le 25 mars 2004 par la Congrégation pour le Culte Divin et la Discipline des Sacrements, en collaboration avec la Congrégation pour la Doctrine de la Foi, présidée à l'époque par le futur Benoît XVI, stipule que seuls le prêtre ou le diacre peuvent commenter, dans une homélie, la parole de Dieu.

Où s'en va donc la messe? D'exclusion en exclusion, ne risque-t-elle pas de se retrouver à la porte de sortie d'un nombre grandissant de lieux de culte?

La situation n'est pas sans issue si les fidèles, évêques et prêtres compris, osent parler franchement au magistère romain. La crise dans laquelle s'enfonce l'eucharistie peut se résorber, mais à la condition qu'on ait le courage de dire au Saint-Père qu'il prendrait plus soin de la messe en levant quelques-uns des interdits qui pèsent sur elle qu'en multi-pliant les paroles sur sa beauté.

Que faire d'autre dans l'immédiat ? Nous avons une proposition qui s'appuie sur une réflexion de François Varillon.

> Il m'arrive de dire : « Si vous ne voyez pas com-ment tel enseignement de l'Église est une condition de l'amour ou une conséquence de l'amour, laissez provisoirement tomber, car tout doit apparaître, même les choses qui sem-blent les plus marginales, comme expression de l'amour, condition de l'amour ou conséquence de l'amour » (*Beauté du monde et souffrance des hommes*, p. 126).

Or, l'eucharistie est le mystère même de l'amour qui se donne à manger. Nous disons donc aux divorcés remariés et aux autres fidèles qui vivent en union libre, pourvu qu'ils aient fait preuve de fidélité les uns envers les autres : si vous êtes peu confortables avec les interdits du magistère, n'hési-tez pas à pratiquer la « désobéissance liturgique ». Dieu vous en sera gré, maintenant, et l'Église, aux Congrès à venir.

# EUCHARISTIE : SACRIFICE OU ENGAGEMENT?

# « FAITES CECI EN MÉMOIRE DE MOI »

*Claude Giasson*

L'évangile de Jean consacre plusieurs chapitres au dernier repas de Jésus avec ses disciples. Le Maître y parle très longuement, leur délivrant un message d'ultime réconfort devant les événements qui s'annoncent. Mais à aucun moment il ne fait allusion au repas eucharistique tel que le racontent les trois évangiles synoptiques et Paul dans sa première lettre aux Corinthiens.

Cette omission est étrange de la part d'un évangéliste qui a mis dans la bouche de Jésus, au chapitre 6, un long discours qui le présente comme le pain de vie et qui s'achève par les paroles si réalistes, si crues, sur le pain et le vin comme corps et sang à manger et à boire. Paroles qui ont certainement influencé la vision réaliste de l'eucharistie qui s'est transmise de siècle en siècle.

Par contre, il y a au début du dernier repas une scène propre à Jean, le lavement des pieds des disciples, qui porte, me semble-t-il, le même message que le repas eucharistique. Elle condense en un symbole fort toute la vie de Jésus, mort incluse. Le geste du serviteur qui lave les pieds des invités au repas rappelle que la vie de Jésus fut entièrement mise au service de chacune des personnes rencontrées. Et que sa mort sera aussi un acte de service.

Chaque génération de croyants médite à nouveau les rencontres libératrices de Jésus avec les hommes et les femmes de son temps pour y percevoir le projet de Dieu sur notre humanité. Ce qui me frappe aujourd'hui, ce sont les paroles qui terminent l'épisode du lavement des pieds : « Dès lors, si je vous ai lavé les pieds, moi, le Seigneur et le Maître, vous devez aussi vous laver les pieds les uns aux autres ; car c'est un exemple que je vous ai donné : ce que j'ai fait pour vous, faites-le vous aussi. »

Et la TOB commente : « Le lavement des pieds exprime symboliquement ce qui fut l'essentiel de la vie et de la Passion de Jésus, l'amour qui assume le service le plus humble, pour sauver les hommes. Cette manière de vivre fonde pour les disciples la capacité et le devoir d'imiter le Seigneur. »

Les paroles de Jésus que nous venons de lire résonnent à mes oreilles tout à fait comme le « Faites ceci en mémoire de moi » des récits de Luc et de Paul. On peut comprendre : « Reproduisez ce repas lorsque vous serez réunis en souvenir de moi. Le pain et le vin partagés, c'est mon corps et mon sang, c'est moi, c'est ma vie totalement vécue pour vous, jusque dans l'acceptation de la mort. »

On peut aller plus loin et comprendre aussi : « Faites ce que j'ai fait, devenez à votre tour corps et sang livrés pour les autres. Soyez totalement au service de vos frères et sœurs en humanité. » N'est-ce pas à ce niveau essentiellement que Jésus, le toujours Vivant, fait par Dieu Christ et Seigneur (*Actes* 2, 36), nous interpelle au cœur du repas communautaire ?

# VIE ET MORT POUR LA LIBÉRATION DES HOMMES ET DES FEMMES...

*Annette Legault, c.s.c.*

Je fais entièrement mienne la critique de l'encyclique de Jean-Paul II *Ecclesia de Eucharistia* faite par Pierre de Locht et je me permets d'en ajouter.

Comme le dit de Locht, l'insistance sur l'aspect « sacrificiel » de l'eucharistie évacue l'ensemble de la vie de Jésus ; et j'ajoute : elle évacue par le fait même la portée de son message et la véritable signification de sa passion et de sa mort.

En effet, la passion — le martyre de Jésus — n'a pas pour but de « satisfaire » pour les péchés de l'humanité. Cette explication nous plonge dans l'esprit sacrificiel de l'Ancien Testament.

La passion de Jésus, son arrestation, ses tortures, son assassinat, sont l'aboutissement logique de sa parole et de ses gestes pour la *libération* des hommes et des femmes de son milieu palestinien, et l'aboutissement de son long conflit avec les autorités religieuses de son époque qui faisaient peser sur le peuple le joug d'une religion légaliste et totalitaire.

Le message de Jésus, ses gestes de libération et le visage de Dieu qu'il présentait, non pas celui d'un potentat mais d'un Père aimant, heurtaient de plein fouet le pouvoir théocratique du Sanhédrin qui avait cadenassé le peuple dans la prison des prescriptions de la loi.

Et comme la loi du Sabbat constituait le sommet de la pyramide de cette domination législative, en faisant sauter cette loi, Jésus ouvrait toutes grandes les portes de la libération. La parole clé de cette libération, « L'homme n'est pas fait pour le sabbat, mais le sabbat pour l'homme », a eu sur les chefs religieux l'effet d'une bombe. Dans cette parole, Jésus dévoilait le parti pris de Dieu pour l'humanité. Ce que Jésus nous dit, c'est que pour Dieu, l'absolu, ce n'est pas la religion, ce n'est pas le Temple ni la synagogue, mais *l'être humain, chaque être humain*, créé à son image, *sujet libre*.

Intelligents, les grands prêtres avaient très bien compris le sens de cette parole. Il fallait donc faire taire ce prophète qui menaçait de renverser la pyramide de leur pouvoir, de tout pouvoir, religieux et politique.

Voilà la signification de l'arrestation de Jésus, de sa passion, de sa mort. Et dans cette passion, dans cette mort de Jésus, prennent place les engagements, les luttes, les emprisonnements, les tortures, les assassinats des passionnés de justice et de libération de tous les temps, de tous les milieux, qui deviennent, dans le Christ, semence de résurrection pour l'humanité.

Nous sommes loin du « sacrifice expiatoire »... Nous sommes en présence d'un large mouvement historique de « passion » pour la libération, pour l'achèvement de l'humanité, dont l'axe est Jésus Christ.

En devenant *chair de notre chair,* le Verbe revêtait l'humanité tout entière ; il devenait, pour employer l'expression de François Varillon, « la matrice de l'humanité ».

Restreindre le « ceci est mon corps » à un morceau de pain, c'est estropier le grand mystère du christianisme, mystère d'irruption de Dieu dans l'univers et l'humanité. « Ceci est mon corps » s'étend à l'univers et à l'humanité, certes représentés dans l'eucharistie par le signe du pain, fruit d'un long processus de végétation, combinée au travail des humains, mais dont la signification dépasse largement la parcelle blanche élevée au-dessus de nos têtes.

> «Vous êtes le corps du Christ
> et vous êtes ses membres,
> chacun pour sa part » (*1 Corinthiens* 12, 27).

Le « ceci est mon corps » prononcé par le célébrant, et que tous les fidèles devraient dire avec lui, nous invite à entrer dans le grand chantier historique dont nous parle Paul, dans la lettre aux Éphésiens, « pour bâtir le corps du Christ » qu'est toute l'humanité en marche, à travers les âges, jusqu'à son achèvement, à « la taille du Christ dans sa plénitude » (*Éphésiens* 4, 12-13).

Les célébrations du Congrès eucharistique de Québec, en 2008, aideront-elles les chrétiens et chrétiennes de chez nous à découvrir cette dimension dynamisante et engageante à nos célébrations eucharistiques ? C'est à espérer.

# LA MESSE FACE AU PEUPLE

*Claude Lacaille*

« C'est à l'autel de Dieu, le lundi 24 mars 1980, à 18 heures 25, après avoir annoncé le royaume de Dieu pendant trois ans, qu'est tombé Monseigneur Romero, assassiné par ceux qui ne veulent pas la paix sur la base de la vérité et de la justice. Il est mort à l'autel, au moment précis où il s'apprêtait à offrir le pain et le vin qui allaient devenir le corps et le sang du Seigneur, et après voir prêché que la vie offerte aux autres est une garantie certaine de résurrection et de victoire[4]. » La messe a toujours été centrale dans la vie de Romero, mais durant ses trois années de ministère comme évêque de San Salvador, il a vécu dramatiquement l'eucharistie dans le creuset de la persécution et du martyre.

---

4.     Communiqué du clergé, des religieux et religieuses du diocèse de San Salvador. Autres sources : Jon SOBRINO, *Mons. Romero : Verdadero Profeta* ; Plácido ERDOZAIN, *Monseigneur Romero, martyr de l'Église populaire* ; Discours de M^gr Romero à l'Université de Louvain (2 fév. 1980) ; Misa popular salvadoreña ; Ignacio ELLACURIA, *Conversión de la Iglesia al Reino de Dios*, Sal Terrae, Madrid.

## Un évêque qui devient prophète

L'assassinat de son ami jésuite, Rutilio **Grande,** fut ce qui bouleversa sa conscience de pasteur. C'était le 12 mars 1977. Monseigneur se tenait là en silence. Il était deux heures du matin. Après avoir célébré, il regardait la chambre toute simple de son compagnon. Celui-ci avait tout donné pour le peuple. Il avait cherché des sentiers nouveaux. « C'était un homme pauvre ! » dit-il comme unique commentaire. Le lendemain, l'archevêque ordonna la fermeture de toutes les écoles catholiques durant trois jours. La radio catholique diffusa une catéchèse sur « le martyre, la communauté chrétienne et l'eucharistie ».

Sans demander d'autorisation au gouvernement, il célébra les funérailles sur la place de la cathédrale ; trois cents prêtres y concélébraient avec plus de quarante mille personnes. Ce dimanche-là, par mandat épiscopal, aucune autre messe ne put être célébrée dans le diocèse. Les auteurs du crime furent excommuniés et le gouvernement avisé publiquement que les autorités de l'Église ne participeraient plus à aucune cérémonie officielle. Les pressions du pouvoir politique et ecclésiastique pour empêcher cette démonstration furent énormes, mais Romero tint bon et le peuple répondit avec détermination. Ces funérailles marquèrent le début de son ministère prophétique. Sa langue se délia. Il sortit sur la place publique comme au jour de la Pentecôte, et son eucharistie secoua le pays comme un tremblement de terre. Désormais, il ne s'assoirait plus à la table des oppresseurs. Il reconnaîtra plus tard avoir vécu une véritable conversion.

## L'eucharistie est l'expression de la solidarité avec les pauvres

Dans un continent où l'oppression et la répression sont exercées par des gouvernements qui se disent chrétiens, la messe est souvent l'occasion pour le pouvoir de se faire encenser et légitimer par le clergé, sous les regards scandalisés des masses appauvries. Pour Romero, la messe serait désormais l'expression de sa solidarité avec le peuple affligé, et la cathédrale se transformerait en lieu privilégié de la proclamation des bonnes nouvelles aux pauvres. Dès lors, très tôt, le dimanche matin, la multitude des petites gens afflua à la messe de « monseigneur », comme on l'appelait affectueusement. Les journalistes venus de l'étranger regardaient, éberlués, ce temple bondé. Écrasés par la foule qui se pressait jusque dans le chœur, ils assistaient à une scène incroyable : un évêque qui célébrait la messe, chantait, prêchait durant une heure et quart et priait au milieu d'un peuple enthousiaste qui l'interrompait à tout propos par de longs applaudissements, et ce, en pleine guerre civile.

« Que résonnent dans nos chants des explosions de joie, je vais me réunir avec mon peuple à la cathédrale ! » chantait l'assemblée. L'eucharistie était la rencontre de Dieu avec un peuple souffrant, la fête d'un peuple affamé plein de joie et d'espérance. « Maintenant, Seigneur, tu pourras être glorifié lorsque ton peuple sera transfiguré et qu'il y aura vie et liberté au Salvador. » Tout le ministère de l'archevêque aura son centre à l'autel de la cathédrale.

Ses messes étaient soigneusement préparées. Durant toute la semaine, dans sa petite résidence de l'hôpital des cancéreux, monseigneur recevait la visite de centaines de personnes. Des paysannes qui pleuraient leur enfant assassiné et faisaient bénir une photo. Des familles rurales qui fuyaient l'armée. De jeunes militants et militantes dont la vie était menacée. Des syndicalistes qui demandaient un appui dans leurs luttes. Des personnes affamées qui réclamaient du pain. Il connaissait ses brebis, et ses brebis le connaissaient.

Presque quotidiennement, il se rendait sur le lieu d'un massacre y contempler, impuissant, les corps mutilés par les escadrons de la mort. Sa préparation à l'eucharistie, c'était la contemplation du visage souffrant du Christ dans ses frères et sœurs. Avec ses prêtres et des personnes des organisations populaires, il étudiait systématiquement la conjoncture nationale. Durant de longues heures, on faisait le bilan de la semaine. Cette compréhension articulée de la réalité nationale donnait un aplomb aux prises de position du prophète le dimanche. Comme ses prédécesseurs Isaïe, Amos ou Jésus, Romero était un homme au regard pénétrant.

« L'Église a rendu les rues au peuple », disait-on. L'eucharistie célébrée au milieu des luttes faisait de l'Église la voix des sans-voix, créant ainsi un espace de liberté et de démocratie. Les messes populaires célébrées sur les places publiques à l'occasion de massacres, de grèves, d'invasions de terrains par des *squatters*, étaient un espace important de développement pour les organisations.

## Une eucharistie qui déborde sur la place publique

La messe du dimanche à la cathédrale constituait le centre de l'unité de toute la semaine, un véritable sommet du peuple de Dieu rassemblé. Grâce à la station YSAX, la longue homélie de monseigneur était écoutée dans tous les pays d'Amérique centrale. Les cotes d'écoute étaient impressionnantes : 73 % en campagne et 47 % en ville. Non, la parole prophétique n'était pas confinée au temple : elle sortait à la rue, dans les autos, les maisons. Elle était entendue par les soldats, l'oligarchie, la guérilla, les organisations populaires. Elle s'adressait à tout le peuple, mais toujours dans la perspective de la libération des pauvres du Salvador. Aussi la radio catholique fut-elle dynamitée par deux fois.

En juin 1977, la Garde nationale avait tué plusieurs paysans dans le diocèse. L'évêque se rendit chez eux par des chemins difficiles. Il y prêcha… mais les gens n'étaient pas contents.

Ils lui demandèrent de nommer les personnes assassinées. On ne voulait pas de paroles abstraites ni de beaux discours lénifiants. Comme il continuait, embarrassé, on essaya même de lui arracher le microphone. Il était vexé et peiné ; il s'était rendu auprès d'eux, il faisait tout ce qu'il pouvait ! Dans une conversation avec ses confrères prêtres, on lui fit comprendre que lorsqu'il faisait une dénonciation, il fallait être concret et direct. À partir de ce jour-là, chaque dimanche, pendant près d'une heure, il déroulait la longue liste du martyrologe de son peuple.

« Ces jours-ci, il me faut aller par les chemins ramasser les chers morts, écouter les veuves et les orphelins et ranimer l'espérance. » Il énumérait patiemment les noms de toutes les victimes de la répression. « Mercredi, le 19 mars, à 5 heures 30, après une opération militaire dans les cantons de San Luis de la Loma, La Cayetana, Leon de Piedra, La India, Paz, Opico, El Mono, on a découvert les cadavres de trois paysans : Humberto Urbino, Osvaldo Hernandez et Francisco Garcia. » Pour lui, les pauvres avaient un nom, comme Lazare dans la parabole, et leur vie avait une valeur infinie. Il proclamait sur tous les toits ce que la presse occultait.

« Chez nous, disait-il, les paroles des prophètes d'Israël sont toujours vraies. Ce ne sont pas seulement des textes que nous lisons dans la liturgie. » La relecture des textes bibliques à la lumière de la réalité salvadorienne donna au message de Romero une grande vigueur. « À la lumière de la foi, nous avons évalué les situations sociales et politiques. Mais par ailleurs, il est vrai aussi que dans ces prises de position face à une réalité socio-politique telle qu'elle est, notre foi s'est approfondie, l'Évangile a montré sa richesse. »

## Le peuple pauvre est le Corps du Christ

D'un peuple défiguré, il voulait faire naître le véritable peuple de Dieu. « Dans ce monde sans visage humain, sacrement actuel du Serviteur souffrant de Yahvé, l'Église de mon diocèse a essayé de s'incarner. » L'eucharistie construit ainsi l'Église, « le peuple pauvre qui est aujourd'hui le Corps du Christ dans l'Histoire. Les pauvres sont le peuple crucifié, comme Jésus ; le peuple persécuté comme le Serviteur de Yahvé. Ils complètent en leur corps ce qui manque à la passion du Christ. » C'est ainsi que se célèbre le mémorial de la mort et de la passion de Jésus.

Pour l'évêque de San Salvador, la persécution et le martyre étaient l'accomplissement normal de l'eucharistie. « La voix du sang est la plus éloquente des paroles. C'est pourquoi ce siège [épiscopal] se sent affermi par le témoignage du sang qui est devenu une voix presque ordinaire dans cette cathédrale. » Il savait qu'on allait le tuer et il offrait sa vie pour son peuple. « Comme pasteur, je suis obligé par ordre divin de donner ma vie pour ceux que j'aime, c'est-à-dire tous les Salvadoriens, même ceux qui vont m'assassiner. Si les menaces arrivaient à être mises à exécution, j'offre dès maintenant mon sang pour la rédemption et la résurrection du Salvador. » La mort du pasteur au moment de l'offertoire montre bien que le « faites ceci en mémoire de moi » n'était pas compris comme la répétition mécanique d'une cérémonie religieuse, mais bien comme un engagement à suivre le maître jusqu'à la croix. Le martyre est la conséquence logique de l'eucharistie ; c'est le testament de celui qui est rappelé vers le Père. « Comme chrétien, je ne crois pas à la mort sans résurrection. S'ils me tuent, je ressusciterai dans le peuple salvadorien… que ma mort soit un témoignage d'espérance pour l'avenir. »

Mais la messe de Romero est inachevée, car la libération ne fait que commencer pour les millions de pauvres du monde. Romero est une interpellation pour toute l'Église à exprimer dans nos eucharisties la passion de Dieu pour la justice et la liberté. Personne ne pourra étouffer cette parole.

Tu offrais le Pain
le Corps vivant — le Corps trituré
de ton peuple ;
son Sang victorieux répandu
— le Sang paysan de ton peuple massacré
qui teindra en vins d'allégresse
l'Aurore insurgée…
Saint Romero des Amériques,
notre pasteur et martyr,
personne ne fera taire
ton ultime Homélie.

(Pedro Casaldáliga, évêque,
poète et prophète)

# LA DIMENSION SOCIALE DE L'EUCHARISTIE

*Pedro Arrupe, s.j.*

Si la faim existe quelque part dans le monde, notre célébration de l'eucharistie est, en quelque sorte, incomplète partout. Dans l'eucharistie, nous recevons le Christ qui a faim dans le monde des affamés. Il ne vient pas à nous tout seul, mais avec les pauvres, les opprimés, ceux qui meurent de faim sur la terre. Par lui, ces hommes viennent à nous en quête de secours, de justice, d'amour exprimé dans l'action. C'est pourquoi nous ne saurions recevoir dignement le Pain de Vie, à moins de donner nous-mêmes du pain à ceux qui en ont besoin pour vivre, où qu'ils se trouvent, quels qu'ils soient.

[…] En particulier, nous devons nous demander : que signifie pour moi, ici et maintenant, le fait de recevoir pleinement l'eucharistie ? À quoi est-ce que je m'engage quand je reçois la Sainte Communion ? Ce sont là des questions exigeantes et vitales. Elles sont tout autant passionnantes. Rien qu'en me les posant, je suis déjà à moitié engagé à m'offrir généreusement aux autres. Puisse le Christ, que nous recevons sous la forme de pain, donner à chacun de nous le courage de ne pas refuser ce don de nous-mêmes, de ne pas fléchir devant notre devoir, de ne pas y mettre de limites. Puissions-nous, à notre tour, être aussi généreux envers lui qu'il l'est envers nous.

\* \* \*

Pendant longtemps, dans l'Église, nous avons été portés à négliger la dimension sociale de l'eucharistie. Une foule de raisons historiques, culturelles, philosophiques, nous ont fait perdre de vue cette intelligence extrêmement sociale et organique qu'avaient de la foi les premiers chrétiens et les Pères de l'Église. On a souvent mis l'accent, trop exclusivement, sur la relation verticale qui existe entre Dieu et l'individu, et ceci, à son tour, a influencé notre interprétation de l'eucharistie et de la messe, des sacrements en général, de la nature et de la vie de l'Église, et même des principaux dogmes de notre Credo. De ce fait, nous avons été amenés à séparer l'enseignement théologique de l'Église de son enseignement social, d'où le divorce entre le service de la foi et la promotion de la justice. Les conséquences pratiques de ce divorce ne sont que trop évidentes, si nous regardons le monde autour de nous et les conditions de vie de tant de sociétés et de nations qui se disent chrétiennes.

C'est surtout dans notre génération et grâce, en grande partie, à l'impact de Vatican II que nous sommes en train de revenir à la vision plus ample et plus authentique de l'Église primitive. Nous recommençons à voir comment

« le catholicisme est essentiellement social. Social, au sens le plus profond du terme : non pas seulement par ses applications dans le domaine des institutions naturelles, mais d'abord en lui-même, en son centre le plus mystérieux, dans l'essence de sa dogmatique[5] ». [...] Il devrait être clair à présent que « l'action en faveur de la justice et la participation à la transformation du monde » est précisément et de ce fait « une dimension constitutive de la prédication de l'Évangile[6] », de même que l'établissement d'une vraie communauté est une dimension constitutive de la fraction du pain.

Voilà un message authentiquement révolutionnaire. Nous connaissons la violence de son impact dans le monde romain, où surgirent et commencèrent à se répandre les premières communautés chrétiennes. Philon parle de « ce partage fraternel qui dépasse toute description[7] », tandis que l'historien juif Flavius Josèphe mentionne le dédain des chrétiens pour les richesses et « leur merveilleux esprit communautaire », ce qui voulait dire qu'« il n'y a pas un seul pauvre parmi eux[8] ». Dans un autre passage bien connu, Tertullien raconte comment les païens d'Afrique s'exclamaient d'admiration à l'arrivée des premiers chrétiens : « Regardez comme ils s'aiment[9]. »

---

5.  Henri DE LUBAC, *Catholicisme*, Paris, Ed. du Cerf, 1965, p. 9.
6.  Synode des évêques, *La justice dans le monde*, 1971, introduction.
7.  PHILON, *Quod omnis probus liber sit*, 84 ; 77.
8.  Flavius JOSÈPHE, *La guerre des Juifs*, 11 ; 8n ; 122.
9.  TERTULLIEN, *Apologetica*, 39.

Est-ce trop que de croire que ce sont là des témoignages attendus par le monde aujourd'hui, ou d'espérer que nous autres chrétiens serons capables de les lui porter ?

*Conférence au 41ᵉ Congrès eucharistique international Philadelphie, le 2 août 1976*

# EUCHARISTIE, EXPÉRIENCE COMMUNAUTAIRE

# MESSE-PARTAGE
# À SAINTE-BERNADETTE (TROIS-RIVIÈRES)

*Jérôme Martineau et Robert Hotte*

*Ce texte provient d'un article paru dans* Liturgie, foi et culture *(volume 39, été 2005) rédigé par Jérôme Martineau d'après des témoignages des membres de la communauté de Sainte-Bernadette à Trois-Rivières et présenté en partie ci-dessous et mis à jour par Robert Hotte, membre de cette communauté.*

Il faut quelquefois une bonne dose d'intuition et d'observation pour savoir saisir l'occasion de mettre en branle une initiative qui rompt avec les traditions. C'est ce qui s'est passé [il y a maintenant près de sept ans], à Trois-Rivières, dans la paroisse Sainte-Bernadette, depuis devenue la communauté Sainte-Bernadette. Le projet de la « messe-partage » est né de la réflexion d'une équipe réunie autour de son curé, Yvon Leclerc, qui avait déjà fait l'expérience de ce genre de rassemblement : une célébration où le partage de la parole de Dieu prend une place importante. C'est à l'occasion du Carême 2001 que l'expérience a été lancée, après que l'équipe eut réfléchi à une formule qui met l'accent à la fois sur l'accueil des personnes et sur le partage de la parole de Dieu.

On peut dire que la célébration commence dès que l'on a franchi les portes de l'église. Des membres de la communauté essaient de repérer les nouveaux venus pour leur souhaiter la bienvenue et leur expliquer en quelques mots comment va se dérouler la célébration. Les gens se présentent les uns aux autres à l'aide de leur prénom. Puis tous sont invités à faire silence et à prier intérieurement. Des intentions de prière sont exprimées librement. L'évangile est proclamé par un membre de l'assemblée et le président donne des pistes de réflexion et invite les personnes à se rassembler en petits groupes pour échanger sur la parole de Dieu. Les enfants et les adolescents rejoignent des animateurs en rapport avec leur niveau scolaire. On peut aussi méditer chacun pour soi. Ce partage dure environ huit minutes, puis l'échange se fait en grande assemblée.

Ce partage sur la Parole fait le lien avec le partage du pain qui vient plus tard. Un membre de la communauté donne le témoignage suivant : « Nous faisons des choses qui ne sont pas permises. Nous sommes en train de briser des traditions, mais il faut le faire. Nous avons le devoir de l'indignation. L'Église manque de lieux pour la prise de parole. Notre capacité de réfléchir sur la parole de Dieu est en lien avec notre désir d'engagement dans le monde. » Lors de la mise en commun, le président invite les participants à poser des questions sur un point ou l'autre de l'évangile. Enfin, le président propose une synthèse.

Viennent alors le partage du pain et l'accès à la coupe. Les enfants apportent tout ce qu'il faut pour que la table soit mise. Pendant ce temps, la chorale et l'assemblée chantent. Un enfant a dit qu'il se sentait à sa place dans cette célébration parce qu'il pouvait être un enfant. Trop souvent, dans les célébrations, les enfants ne sont que des acteurs à qui l'on demande de jouer un rôle. Ils viennent réciter une prière, faire une chorégraphie, jouer un morceau de musique, puis ils disparaissent derrière le décor.

Les membres de l'assemblée sont invités à se rassembler autour de la table eucharistique. Les enfants sont habituellement très près du président, et cette proximité rappelle la place que Jésus a lui-même faite aux enfants. La prière est entrecoupée par des acclamations chantées. Le chant joue un rôle important tout au long de la célébration. La petite chorale ne vise pas tant la qualité de l'interprétation que de permettre à l'assemblée d'être réellement partie prenante de l'interprétation des chants.

Au moment du partage du pain, le président invite les fidèles à former de petits cercles qu'on appelle des « tablées ». Il s'agit de groupes de dix à quinze personnes qui entourent les ministres de la communion. Ce sont les personnes elles-mêmes qui trempent le pain dans la coupe. Quand toutes les personnes ont communié et après un moment de silence, le président invite les personnes à retourner à leur place en leur livrant un petit message en lien avec la Parole partagée plus tôt. Après un autre temps de silence, le président ou l'animateur prononce quelques paroles d'action de grâce. Nous prenons le temps nécessaire et nous tentons de prolonger, par les « tablées », l'atmosphère qui a été créée depuis le début de la célébration. Une participante a témoigné du fait que cela était très différent que d'attendre en ligne.

L'échange de la paix se fait à la fin de la messe après l'envoi, pour que chacun et chacune reparte avec la paix du Christ pour la semaine à venir. Qu'est-ce que la messe-partage annonce pour l'avenir de la célébration eucharistique ? Ce type de célébration touche les personnes qui veulent vivre et y exprimer leur foi autrement. La fraternité entre les participants et les participantes est le noyau central qui donne à ce rassemblement dominical tout son sens. En s'exprimant ainsi, le partage réel autour de la parole de Dieu et le partage du pain permettent à plusieurs personnes de guérir de vieilles blessures. D'ailleurs, ne faudrait-il pas un jour prendre davantage en compte l'aspect thérapeutique du rassemblement dominical ? À condition que les personnes deviennent les participants et les « constructeurs » des célébrations. Ce sont leurs prières, leurs paroles et leurs gestes qui donnent sens à la célébration.

Nous devons changer notre approche de la célébration eucharistique si nous voulons que les communautés chrétiennes amorcent un cheminement spirituel. Nous pourrons le faire à deux conditions : en permettant un réel échange autour de la parole de Dieu et en mettant en place des mécanismes qui favoriseront l'expression de la fraternité. La prise de parole est primordiale pour la création d'une communauté de foi et de partage. C'est le pari à prendre pour donner à voir le corps du Christ. Ce corps ne se donne-t-il pas à voir dans la communauté fraternelle.

La messe-partage se prolonge en d'autres activités diverses telles le dîner-partage du dimanche midi où chacun apporte son lunch, le partage-garage avec les plus démunis, le partage avec des personnes-ressources, appelé mini-colloque, le partage des expériences de la messe par un groupe informel en vue de l'amélioration de la célébration.

Le mot-clé de notre communauté, c'est « partage ».

# LA VOIX D'UNE PRATICIENNE

*Gisèle Turcot*

Le titre de praticienne de l'eucharistie est le seul que je revendique pour souscrire à un espace commun de réflexion sur ce mémorial que Jésus nous a laissé.

Oups! En employant le terme de mémorial, je prends conscience que je ne l'emploie quasiment jamais. On le dit chargé de nuances : c'est le genre de débat que j'ai l'habitude de laisser aux spécialistes de la théologie. Il m'arrive évidemment de tendre l'oreille à l'énoncé des mots communion, mystère, sacrifice, rites et rituels, tous chargés d'histoire et de dialogues plus ou moins réussis. Mais je me sens indéniablement plus à l'aise dans l'enceinte de l'assemblée.

Chaque jour, je me retrouve donc au milieu d'une curieuse compagnie. La demi-heure de célébration fournit des indices de notre diversité : certains s'agenouillent autant pour implorer la miséricorde du Père au moment du *Kyrie* que pour accueillir le don du Corps et du Sang du Christ et recevoir la bénédiction finale du célébrant. Des voix sont à peine audibles tandis que d'autres déploient hardiment leur talent de soprano. Ceci pour le regard extérieur, forcément superficiel.

Nous sommes là, étrangers ou presque, différents dans l'intelligence de la foi, diversement concernés par l'évolution du monde au dehors. Humains aux chemins parallèles, entrecroisés parfois. Et l'on nous affirme que nous formons — ou devons former — « communauté ». Qu'est-ce à dire ?

Comme tant d'autres personnes de ma génération, enfant, j'appris en famille le chemin de l'église. Au sein des mouvements de jeunesse, des responsables m'aidèrent à découvrir la parole de Dieu comme partie essentielle de la messe. Même avant le Concile, j'eus la chance de participer à des catéchèses bibliques dans un camp d'été. Le concile Vatican II nous délivra des secrets du mystérieux latin — et nous voilà, parfois, auditeurs transformés en lectrices et lecteurs des récits de nos ancêtres dans la foi.

Cette heureuse évolution n'a toutefois pas réussi à retenir la majorité des participants à la « messe », dorénavant nommée « célébration eucharistique ». Les rassemblements de croyants se sont effrités. Des gens sont partis sur la pointe des pieds… Il ne s'agit pas seulement du nombre des pratiquants du dimanche, mais bien davantage d'une réelle diversification des perspectives sur l'événement type de la famille chrétienne. Dans ce creux de la vague, on nous invite à former communauté.

J'avoue que participer à une eucharistie quotidienne est un exercice décapant pour la saisie du phénomène communautaire. Qui suis-je pour me trouver dans cette compagnie plurielle de croyantes et de croyants? Quelle sorte de disciples sommes-nous? Que demandons-nous quand, juste avant de communier au corps et au sang du Christ, nous disons « ne permets pas que nous soyons séparés de toi »?

En participant à ce blogue, j'entends chez mes collègues le vif désir de renouveler le sens de la *table*. Pour ma part, je veux à nouveaux frais saisir toute la richesse du triangle parole de Dieu, table eucharistique et communauté de foi tournée vers le monde.

# UNE COMMUNAUTÉ EUCHARISTIQUE QUI NE SE CONTENTE PAS D'ÊTRE EN ATTENTE DE...

*Alain Ambeault, c.s.v.*

*Assemblée dominicale en attente de célébration eucharistique : c'est le sens de l'acronyme ADACE. C'est aussi la situation que sont invitées à vivre plusieurs paroisses, en l'absence du prêtre, le seul présentement habilité à présider l'eucharistie.*

*J'avoue que cette expression n'a cessé de m'agacer depuis sa création... Comme si une communauté chrétienne devait désormais se définir comme une communauté constamment en attente d'eucharistie, en attente d'un ministre ordonné, dont la présence, dans l'état actuel des choses, se fera de plus en plus rare !*

*Ce nouveau profil d'assemblée réunie pour la prière liturgique ne risque-t-il pas d'influencer les traits de l'action pastorale elle-même : une communauté en attente d'actions pertinentes " ici et maintenant " ?*

Dans le cadre de mes fonctions au sein du Conseil général de ma communauté (CSV), je reviens d'une visite pastorale au Belize et au Honduras. Deux nouvelles collaborations avec des Églises locales qui découlent d'une sensibilisation récente et d'un désir d'enrichir la mission que l'Église nous confie en regard de nouvelles cultures.

Cette visite en Amérique centrale m'a profondément touché. Le dynamisme de l'Église, l'impulsion que lui a donnée la récente Conférence générale des évêques latino-américains et des Caraïbes d'Aparecida, la place qu'occupent les laïcs dans la vie des communautés chrétiennes et la diversité réelle des ministères furent pour moi une découverte. Cette Église est vivante et responsable ; elle est porteuse d'appels qu'il ne faudrait pas bâillonner !

En introduction au document de la Conférence des évêques d'Aparecida, le cardinal Oscar Andres Rodríguez Maradiaga, S.D.B., archevêque de Tegucigalpa, cite les délibérations de ses confrères : *la Iglesia necesita una conmoción que le impida instalarse en la comodidad, estancamiento y en la tibieza al margen del sufrimiento y de la vida de los pobres del continente.* Est-il permis de traduire ainsi : « L'Église a besoin d'un bouleversement qui l'empêche de s'installer dans le confort, l'immobilisme et la tiédeur en marge de la souffrance et de la vie des pauvres du continent. »

Mes confrères et consœurs de ces deux pays travaillent ainsi : l'animation de paroisses est façonnée par un lieu-centre et par une multitude d'*aldeas*, c'est-à-dire de communautés-satellites. À titre d'exemple, la paroisse *Nuestra Señora del Tránsito* de Jutiapa est composée de plus de 70 communautés environnant le lieu central. L'ensemble bénéficie d'une réflexion et d'une planification commune, et la formation des divers ministres — catéchètes, délégués de la Parole, animateurs et animatrices liturgiques, agents de la pastorale sociale et coordonnateurs de communauté — se fait dans une dynamique qui laisse place à la vie de chacun des milieux. La parole est reçue et donnée ; son va-et-vient libère !

L'Église du Honduras définit la paroisse comme étant « une communauté de communautés ». N'est-ce pas réaffirmer que la vie chrétienne, même en situation de manque de prêtres (il y en a seulement deux pour plus de 70 communautés assez éloignées les unes des autres) ne peut se déraciner du milieu de vie réel des gens ? Toute organisation doit au préalable compter sur l'action de l'Esprit qui, pour chacun des milieux, sait susciter les ministères dont le peuple de Dieu a besoin.

Ces communautés chrétiennes sont véritablement des communautés eucharistiques. On se rassemble autour de la table pour partager la Parole et pour répondre au mieux à l'appel du « faites ceci en mémoire de moi ». On se redit ainsi la mission qui incombe à tous et chacun. Toutefois, comme le nombre de prêtres est très faible, ces communautés ne célèbrent le rite eucharistique qu'une fois par mois.

Deux remarques s'imposent : ces communautés ne vivent pas en attente de… et les ministères dont elles ont besoin devraient leur être accessibles.

L'engagement chrétien des gens, la vie communautaire de ces Églises de la base, les célébrations liturgiques qui les réunissent chaque semaine ont peu à voir avec un peuple de Dieu en attente de… la venue d'un prêtre. Ces communautés ont bien conscience d'exister dans le réel de leur vie. Ce manque de prêtres a suscité une éclosion fort heureuse de ministères dont ces Églises ont besoin.

Les communautés que j'ai eu le bonheur de rencontrer vivent la plénitude de leur existence chrétienne dans la mémoire eucharistique. C'est comme une inscription engagée dans un geste passé qui rend toujours présent, par son évocation, sa mémoire au présent. Cette mémoire fait prendre conscience à ces communautés des raisons qui les ont inscrites dans l'histoire et les défis qui s'offrent comme raison d'exister. En ce sens, la communauté chrétienne demeure foncièrement eucharistique, même si la fréquence de la célébration avec la présidence d'un prêtre n'est malheureusement pas liée au dimanche.

On a souvent tendance à rechercher la présence et l'action de l'Esprit dans les solutions que nous imaginons à même les problèmes vécus. Mais l'Esprit se trouve d'abord et avant tout dans la réalité, dans ce que nous vivons ! À ce compte, la lecture des signes des temps nous indique, non pas en théorie, mais dans la pratique, que l'Esprit engage l'Église dans des déplacements nécessaires pour que le mystère de l'Alliance nouvelle, vécue dans le mouvement de la liberté et de la fidélité évangéliques, continue à poser les pierres nécessaires à l'édification du règne de Dieu. Les communautés chrétiennes du Belize et du Honduras sont eucharistiques ; pourquoi alors devraient-elles être privées de la célébration du mémorial de la Cène uniquement parce que les prêtres se font rares ? Déjà l'Esprit a fait naître au cœur de plusieurs la capacité d'assumer ce ministère. Ils sont hommes et femmes engagés, rassembleurs des leurs et man-datés pour que leurs expériences d'Église fassent naître l'espérance d'une Bonne Nouvelle dans leur milieu.

Ici et là-bas l'Esprit insiste. Ces expériences révèlent beau-coup plus qu'une simple perspective organisationnelle. Ces communautés dégagent une profonde attitude d'écoute et d'ouverture à la lecture des signes des temps. Une initiative qui dérange… Elle est nécessaire avant que nous nous déra-cinions à jamais des communautés chrétiennes.

*La Iglesia necesita una conmoción…* disaient les évêques à Aparecida. Il n'y a pas si longtemps, Jean XXIII avait dit la même chose en d'autres mots. Quand cesserons-nous de contraindre nos frères et sœurs d'être en attente de…

# LES QUESTIONS :

EUCHARISTIE ET LES FEMMES

EUCHARISTIE ET LE LANGAGE

EUCHARISTIE ET LE PARDON

L'ARCHE DU CONGRÈS

CONGRÈS :
ÉVÉNEMENT MÉDIATIQUE

# L'AUTRE MANIÈRE DE CÉLÉBRER

*Marie-Andrée Roy*

Depuis plus de trente ans, la collective de femmes chrétiennes et féministes L'autre Parole a développé une pratique liturgique qui lui a permis d'élaborer et de célébrer de multiples rituels — dont celui du partage du pain et du vin pour faire mémoire de Jésus de Nazareth, Christ ressuscité. La collective, qui s'identifie pleinement à la tradition chrétienne, a fait des choix très tôt dans son histoire : les membres, en tant que personnes autonomes et responsables, n'ont jamais voulu s'inscrire en dépendance vis-à-vis du clergé masculin pour célébrer leur foi et encore moins jeûner, se priver du pain et du vin de vie parce que leur *ekklésia* était composée exclusivement de femmes[10]. Elles ont choisi de gérer solidairement et collectivement leur vie spirituelle en créant et en animant elles-mêmes des rituels chrétiens et féministes arrimés à leurs expériences de vie.

---

10. Le concept d'*ekklésia* des femmes, forgé par la théologienne Elisabeth Schüssler Fiorenza, réfère à une communauté de foi où les femmes confrontent les structures patriarcales de l'Église en développant, à la suite de Jésus, des discours et des pratiques de libération.

Ces rituels puisent à trois sources. La première concerne les expériences, aussi bien individuelles que collectives, d'aliénation/libération des femmes aujourd'hui : ces expériences ont, entre autres, trait au difficile accès à l'égalité des sexes (tant dans la vie privée que dans la vie publique), à la reconnaissance de la liberté de choix en matière de santé reproductive et sexuelle, à la violence patriarcale qui continue toujours de sévir, etc. La relecture de ces expériences et leur transposition dans des symboles et des rituels permettent de construire une nouvelle mémoire qui invite les femmes à se faire les bâtisseuses de leur devenir.

La deuxième source est la tradition chrétienne elle-même, riche d'une liturgie deux fois millénaire qui a su redire de manière admirable, au fil des jours, des semaines et des saisons toute la trame du mystère chrétien, de la Nativité à la mort/résurrection du Christ, et accueillir l'expérience humaine dans toute sa radicalité, de la naissance à la mort. Le corpus liturgique chrétien est à la fois passé au crible de la critique féministe et relu à la lumière de nos expériences de femmes en quête de libération. Il structure une part importante de nos célébrations, permet que nous développions un profond enracinement dans la tradition et que nous inscrivions nos propres paris de foi comme faisant partie intégrante de cette tradition.

La troisième source se trouve dans le corpus des autres traditions religieuses, notamment la tradition juive, avec laquelle nous avons une forte parenté — ne partageons-nous pas une même histoire sainte, une même quête de salut et moult symboles rassembleurs (le feu, l'eau, le sel, le pain sans levain, etc.)? Elle se retrouve aussi dans le corpus des religions anciennes qui ont fait se déployer des représentations féminines du divin de même que des mythes et des symboles qui reconnaissent la part indispensable du sacré féminin dans le devenir de la création. Cette troisième source vient en quelque sorte éveiller notre imaginaire, provoquer notre créativité et favoriser un certain dégagement du carcan dogmatique patriarcal chrétien.

Comment faisons-nous mémoire de Jésus? Lors d'une célébration, nous disons simplement ses paroles ensemble : « Prenez et mangez-en toutes — ceci est mon corps. » Ce pain nous permet aussi de faire mémoire, selon la thématique de la célébration, du corps exploité et violenté de nos sœurs ou encore, du corps aimant et fécond des femmes qui donnent la vie, etc. Puis nous disons : « Prenez et buvez-en toutes — ceci est mon sang. » Ce sang, c'est aussi le sang des femmes, sang porteur de vie et promesse d'une nouvelle Alliance entre les femmes et les hommes. Les paroles prononcées par l'*ekklésia* reprennent les paroles de Jésus et s'inscrivent clairement dans son intention : faire mémoire. La formule énoncée n'est pas complètement celle de la prière eucharistique officielle. Ce qui permet à certains de dire qu'il ne s'agit pas de « vraies » eucharisties ! Soyons claires : l'orthodoxie, ce n'est pas notre affaire, et nous voulons encore moins en créer une nouvelle. Notre seul désir, c'est de faire communauté en mémoire de lui.

L'autre Parole ne fait pas cavalière seule. Les eucharisties domestiques, si elles demeurent relativement discrètes, sont aujourd'hui plus nombreuses que jamais, de moins en moins marginales et pratiquées par des communautés de femmes et d'hommes qui ne se revendiquent pas nécessairement de dissidence. En ces temps d'intransigeance romaine marqués par le sexisme et le cléricalisme, elles sont devenues l'autre manière — débrouillarde et créatrice — de dire notre foi, notre espérance et notre amour.

*Revue* Relations, *février 2008, « Eucharistie et société »*

L'auteure, professeure au Département des sciences religieuses et à l'Institut de recherches et d'études féministes de l'UQAM, est cofondatrice de L'autre Parole.

# POÉSIE OU MÉMOIRE EUCHARISTIQUE

*Alain Ambeault, c.s.v.*

Les lieux de silence et de recueillement sont devenus rares dans notre monde. Partout, le bruit domine. Que ce soit la télévision, la radio ou ces nouveaux gadgets que les gens se plantent dans les oreilles dès qu'ils sortent de la maison — et encore ! — on dirait qu'il faut que l'espace soit toujours habité. L'image fréquente d'un jeune faisant ses devoirs au rythme de la musique de son *iPod* tout en regardant la télé est révélatrice. Plein les yeux, plein les oreilles ; c'est ainsi que l'on vit désormais !

Et pourtant, l'être humain a besoin d'espace où recomposer sa vie ; des moments, des lieux où ses mots effilochés reprennent goût au récit. Des occasions d'apprivoiser le silence comme on s'approche timidement d'un miroir lorsqu'on veut savoir ce que sont devenus les traits de notre visage. Paradoxalement, on a besoin du silence pour redécouvrir que nous sommes des êtres de parole et de désir. *Le désir, c'est l'appel à la communication interhumaine ; le désir, en ce sens, n'a pas d'objet fixe ; il est le désir du désir de l'autre, de la réciprocité, de l'échange*[11].

---

11. André FOSSION, *La catéchèse dans le champ de la communication, ses enjeux pour l'inculturation de la foi*, Paris, Les Éditions du Cerf, 1990, p. 16.

L'espace eucharistique, le lieu mémorial de la Cène, est fondamentalement un lieu de passage, là où se reçoit et se recompose le devenir humain, un espace où la personne, emportée par le courant de la vie, desserre les poings et risque de s'aventurer en dessous et au-delà de la logique des mots. Le silence existe dans la poésie, cet espace où la parole retrouve toute l'ampleur de ses gammes, où elle découvre le désir de l'être humain, le devenir. Alors, notre désir se met à la recherche de celui de l'autre, le besoin de se retrouver risque de rencontrer celui de l'autre. La solitude offre une porte d'entrée à la communion ; c'est la parole libérée, la poésie qui le permet en suggérant à celui ou celle qui donne toute la liberté à ses mots de découvrir de nouveau que la parole re-lie.

Quel défi que de rassembler des gens autour de la parole ! Il y a celle de leur vie, celle de la vie, celle de notre héritage chrétien, la parole de Dieu, celle de nos gestes, de nos engagements, celle de nos fractures, de nos peines et de nos inquiétudes et au-delà de tout, la grande parole de la mémoire qui nous surprend toujours : « Faites ceci en mémoire en moi. » Qu'est-ce à dire ? Au cœur du propre mystère de sa vie, du drame de sa vie, oserai-je dire, l'être humain se voit appelé à reconnaître l'amour fou de Jésus Christ, celui qui se donne à nous, celui qui suggère de jeter des ponts entre nos mots, nos bouts de récits, pour mieux franchir les zones où l'amour ne sait plus où donner de la tête. Des paroles qui disent tout et qui laissent place au vide, parce que c'est seulement ainsi que la foi est possible et que l'on permet au mystère de le demeurer. Pourquoi tenter de l'étouffer par nos fragiles certitudes? Des paroles qui disent, comme à Emmaüs, que le Vivant est aussi l'Absent.

Et alors, faisons de nos espaces eucharistiques des lieux où il est possible à nos vies de s'asseoir tout doucement, de laisser place au silence, d'entendre et de rêver la beauté, et de s'y retrouver comme engagées dans un mouvement. Fuyons ces mots qui prétendent tout dire et appelons le récit poétique large, ouvert, qui suggère, reconnaît et unit. Seul l'espace que peut créer la poésie laisse place à la mémoire eucharistique; elle permet à notre Dieu de se donner de nouveau corps et âme et de créer le banquet par des paroles et des gestes non pas imités, mais refaits en mémoire de lui. Et alors, les convictions revisitées et renforcées reprennent la rue au nom d'un Règne à construire.

Il fut un temps, pas si lointain, au Québec, où les gens faisaient leurs dévotions durant la messe; ils accomplissaient le précepte dominical. Aujourd'hui, les êtres humains flânent et recherchent des lieux où ils peuvent, à l'occasion, débrancher leurs gadgets, faire taire le bruit ambiant et laisser les mots recomposer leur désir profond. Dans la vie, c'est souvent le souvenir qui nous redonne le goût de la route, de l'aventure. La mémoire, elle, permet aux chercheurs de

Dieu de le rencontrer bien vivant à ce point précis de leur vie où les limites du passé et de l'avenir touchent de près leurs rêves, leurs désirs et leur devenir.

# L'EUCHARISTIE,
# SOURCE INTARISSABLE DE PARDON

*Robert Hotte*

Nous parlons beaucoup d'eucharistie de ce temps-ci en Église, et le Congrès eucharistique de Québec y est certainement pour quelque chose. Or, le petit livre du franciscain Roger Poudrier intitulé *L'eucharistie, source intarissable de pardon* (Montréal, Médiaspaul, 2007) présente un aspect important de l'eucharistie qui pour moi s'est avéré nouveau et qui ne semble pas faire partie des perspectives du Congrès : être une source intarissable de pardon.

À la suite de la découverte de « trois surprises » dans le *Catéchisme de l'Église catholique* de 1992, concernant justement le pardon des péchés (voir par exemple les numéros 976 et 2839), l'auteur s'est mis à la rédaction de son livre pour souligner cette dimension de l'eucharistie. Il ne s'agit pas seulement du pardon de fautes vénielles, mais « le sacrement par excellence remet les crimes et les péchés, si grands soient-ils, comme disait le concile de Trente » (p. 11). Il est important, sur le plan pastoral, de voir l'eucharistie comme source intarissable de pardon, car en pastorale il faut toujours redonner l'espérance et ne jamais invoquer l'exclusion. Jamais, quelle que soit la raison invoquée, car l'eucharistie existe pour « les pauvres, les boiteux, les estropiés et les aveugles ».

Roger Poudrier s'émerveille de la miséricorde de Dieu. Le chapitre 1 présente le salut de la façon suivante :

> Il y a des voies de salut éternel pour tous les êtres humains de la terre, même pour les enfants morts sans baptême. Les théologiens en sont venus à la conclusion que les limbes n'ont jamais existé ; il faut en dire autant du purgatoire comme lieu de passage, et de l'enfer comme résidence éternelle (p. 16).

Le salut est toujours objet d'espérance, affirme l'auteur. Rien n'est impossible au Père, surtout quand il s'agit de sauver ceux qu'il a créés par amour (p. 17). Il faut croire à la rémission des péchés, précise-t-il au chapitre 2. Tous les membres de l'Église, ses ministres y compris, doivent se reconnaître pécheurs (p. 23), pécheurs pardonnés, voilà la condition de tous les humains depuis le début de l'humanité (p. 26).

Même le Notre Père est vu dans cette perspective : « La rémission des péchés dépasse de beaucoup le seul sacrement de la Réconciliation, puisque le Notre Père demande le salut et l'obtient » (p. 40). Par ailleurs, il ne faut pas prendre l'eucharistie comme alternative au sacrement du pardon. Ce n'est pas l'un ou l'autre, « mais bien et l'eucharistie et la réconciliation et les autres sacrements, car les sept contribuent au pardon des péchés » (p. 44). C'est la conclusion du 2ᵉ chapitre.

En fait, le sacrement par excellence, c'est l'eucharistie, source et sommet de toute la vie chrétienne (chapitre 3). Le titre du chapitre 4 est le même que celui du volume : « L'eucharistie, source intarissable de pardon. » Et l'auteur s'en explique ainsi : « Cet aspect de l'eucharistie est pratiquement passé sous silence dans le texte de base du 49ᵉ Congrès eucharistique international, *L'eucharistie, don de Dieu pour le monde*, et dans l'exhortation apostolique postsynodale de Benoît XVI, *L'eucharistie, source et sommet de la vie et de la mission de l'Église* » (p. 57). Pourtant, nous proclamons dans le Credo notre foi à la rémission des péchés et à la vie éternelle, non à la damnation et à la mort éternelle (p. 70).

Le livre se termine sur l'affirmation suivante :

> Si nous arrivons à la messe conscients d'être pécheurs, mais avec un cœur sincère et une foi droite, avec crainte et respect, confiants en la miséricorde inépuisable de Dieu, nous obtenons miséricorde et trouvons la grâce qui nous permet de repartir pécheurs pardonnés, comme le publicain de la parabole. Le Père a remis nos crimes et nos péchés, si grands soient-ils.

Pareille lecture donne le goût de poursuivre et d'élargir la réflexion sur la relation entre ce sacrement et la vie chrétienne. Car «l'eucharistie réduite à l'expression du dogme ne peut exprimer ce qui s'y passe et justifier l'attachement que nous pouvons y apporter», écrivait Bernard Feillet dans *L'errance*.

Il faut se poser des questions comme celle-ci de Bernard Feillet : « Qu'en est-il de si nombreux chrétiens qui s'interrogent sur leur appartenance à l'Église, sur leur adhésion aux dogmes qui structurent la communauté à laquelle ils se réfèrent, et qui se demandent s'ils ne sont pas en train de devenir chrétiens autrement ? [12]»

Le Congrès eucharistique de Québec aidera-t-il les fidèles à saisir le sens du pardon que recèle l'eucharistie? J'en doute, au moment où Rome s'apprête à abolir l'absolution collective lors des rencontres communautaires, parce qu'on n'a pas compris ou qu'on a oublié que «tous les sacrements pardonnent les péchés, surtout l'eucharistie » et que la confession des péchés est en fait un bilan de vie à faire occasionnellement afin de nous rendre compte où en est notre cheminement en tant que chrétien, comme le rappelle avec force Roger Poudrier.

---

12. FEILLET, Bernard. *L'errance,* Paris, Desclée de Brouwer, 1997, page 56.

# L'ARCHE DE LA NOUVELLE ALLIANCE

*Guy Paiement, s.j.*

L'initiative du cardinal de Québec de préparer un Congrès eucharistique mondial à l'occasion des fêtes de la ville de Québec constitue un événement majeur. Elle oriente cependant ce dernier dans une perspective qu'on peut discuter.

Parmi les moyens utilisés dans la stratégie pastorale pour préparer cet événement, se distingue « l'arche de la nouvelle Alliance ». Il s'agit d'un coffret, orné de huit icônes, dont sept représentent des épisodes de la vie de Jésus Christ, et d'une image de la madone, mère des douleurs. Le tout est soutenu par deux figures d'anges et comporte, sur ses côtés, des anneaux pour y passer des brancards, ce qui permet de le porter d'un endroit à un autre[13].

Dans un premier temps, cette arche fait évidemment référence à l'Arche d'alliance de l'Ancien Testament. Lors de leur passage du désert, les Hébreux, à la suite de Moïse, avaient construit une Arche qui voulait signifier la présence du Dieu libérateur au cœur de leur pénible traversée. Quand

---

13. On trouvera des exemplaires de cette Arche en vente à la *Procure ecclésiastique* de Québec.

David puis Salomon construisirent le Temple à Jérusalem, ils y mirent l'Arche, mais l'attention se porta alors sur le Temple. Lors de la destruction du Temple et de la déportation d'une bonne partie du peuple à Babylone, on ne parla plus de l'Arche. Ézéchiel soulignera cependant que Dieu était désormais présent parmi les croyants exilés (*Ézéchiel* 9-11).

Pour le Nouveau Testament, la présence de Dieu et sa Parole se retrouvent dans la personne de Jésus, le Christ, qui marche sur les chemins des gens de son temps et qui, lors de la Cène avec ses amis, confie son grand désir de manger la Pâque avec eux, signe tangible de l'Alliance qu'il offre de la part de son Père. Après sa mort et l'expérience croyante de sa résurrection, ses disciples ont retrouvé la pertinence du prophète Jérémie (*Jérémie* 3, 16-17) qui annonçait que la nouvelle Alliance serait inscrite dans le cœur de chacun.

La décision de valoriser le symbole d'une nouvelle Arche peut certes s'inspirer de cette tradition. Elle insisterait alors sur le besoin de libération du peuple québécois et sur l'affirmation que la Parole vivante de Jésus Christ est toujours présente au cœur de leurs luttes et de leurs aspirations les plus profondes. Or, il n'en est rien. Le passage de l'arche dans les diverses paroisses a pour but d'inciter les quelques personnes qui y sont encore présentes de renouer avec l'adoration du saint sacrement et de les convaincre d'aller à Québec pour le grand rassemblement qui aura lieu. Nulle part il n'est fait mention de l'expérience actuelle des Québécois et des Québécoises, petit peuple fragile qui vit une crise majeure d'identité, comme on peut le voir à l'occasion de la commission Bouchard/Taylor, ballotté par les appels contradictoires du monde de la consommation, se sentant exclu, pour une grande part, de l'Église officielle à cause des transformations de la famille et du mariage.

On ne tient pas davantage compte de la souffrance de milliers de femmes qui trouvent plus d'égalité dans la société que dans leur Église. Pour sa part, l'interpellation fraternelle des évêques par des milliers de religieux et de religieuses n'a pas été entendue et a donné lieu à « un débat avorté » qui creuse encore plus la césure entre les responsables ecclésiaux et une certaine Église prophétique[14]. Sans parler du grand réaménagement des paroisses qui esquinte la poignée de curés qui restent et leur enlève le temps de recréer des réseaux de solidarité et des lieux de discernement spirituel. Cette absence de l'histoire concrète n'est donc pas secondaire. Elle incline à penser que l'arche retrouvée n'est pas celle d'un cheminement dans le désert, mais plutôt celle de l'enchâssement de l'Arche dans le Temple. Partie des églises et orientée vers une grande célébration, l'arche a toutes les chances de signifier une invitation à retourner dans les églises qui se sont vidées, tout en faisant l'économie des causes multiples qui les ont fait déserter.

---

14.    Voir Alain AMBEAULT, *Autopsie d'un débat avorté*, Ottawa, Novalis, 2007.

La décoration de l'arche confirme ce parti pris d'une impossible restauration. Les quatre parois de l'arche sont, en effet, décorées de reproductions d'icônes qui illustrent certaines pages d'évangile auxquelles s'ajoute une icône de Marie, mère des douleurs. Les scènes privilégiées comprennent les noces de Cana, la multiplication des pains, la Cène, le lavement des pieds, la crucifixion, la mère des douleurs, la résurrection et l'épisode des disciples d'Emmaüs. Quatre des icônes ont un lien avec l'eucharistie, ce qui est compréhensible, dans une perspective de revaloriser celle-ci. Le fait de choisir des icônes tend sans doute à montrer que la doctrine actuelle vient de loin et qu'elle comporte un poids significatif. Mais en gommant la rupture qui existe entre les icônes du passé et les croyants et croyantes actuels, on s'interdit de chercher de nouvelles pistes à une foi qui demeure elle-même dans la mesure où elle s'expose à l'alliance avec l'imprévu des autres.

Fait significatif, on ne trouve aucune allusion à l'expérience du dernier concile qui insistait sur le « peuple de Dieu » qui chemine dans « le monde de ce temps », en partageant les joies, les souffrances et les espoirs. Nous avons ainsi l'évocation d'événements passés qui sont rappelés à la foi du fidèle d'aujourd'hui, lequel semble délesté de toute densité historique et est ainsi invité à l'adoration du Pain sacré de l'eucharistie. S'il s'agit de fortifier l'invitation à entrer en alliance avec le Seigneur, cette dernière a toutes les chances de se restreindre à l'intériorité individuelle de la personne et de n'avoir rien à dire dans ce qui fait le pain et le beurre de ces mêmes personnes dans la société. Sans doute pourra-t-elle trouver une consolation individuelle à la dureté de sa vie, mais elle sera peu portée à partager les efforts de ceux et de celles qui voient que le Christ est en agonie dans la chair des personnes exclues et qui travaillent, avec beaucoup d'autres, à risquer une parole d'espoir et de compassion.

Nous touchons ici à la limite du courant cultuel pour comprendre l'eucharistie. Pour compléter la réalité, il nous faut faire appel à un second courant qui insiste sur le fait que Jésus, lors de son dernier repas, a laissé comme testament à ses disciples l'invitation à entrer dans ce qui a fait le cœur de toute sa vie : témoigner du désir de Dieu de partager sa vie avec celle des humains que nous sommes[15]. Cette invitation se manifeste dans le désir de faire alliance avec les autres, en particulier avec ceux et celles qui sont en dehors de la table, pour leur rappeler que le don porteur de vie est toujours offert et qu'il nous faut, pour en vivre, refuser d'entrer dans les luttes de pouvoir pour savoir qui est le plus fort (*Luc* 22, 24). Redonner au pouvoir sa qualité de service est ici indissociable de l'acceptation de l'alliance avec celui qui a donné sa vie pour que tous puissent l'avoir en abondance. Mais pour ce faire, il ne faut pas sortir de l'histoire, car le chemin que nous avons à emprunter, comme le rappelait Jean-Paul II, demeure celui des humains avec qui nous marchons.

---

15. Consulter Xavier LÉON-DUFOUR, *Le partage du pain eucharistique selon le Nouveau Testament*, Paris, Seuil, 1982.

# LE CONGRÈS EUCHARISTIQUE, UNE MISE EN SPECTACLE

*Jean-Philippe Perreault*

« Le salut social par l'eucharistie », telle était l'intention de la jeune Française Émilie Tamisier en donnant naissance aux congrès eucharistiques. À 125 ans de distance, le contexte socioreligieux s'est à ce point transformé qu'on ne sait plus trop comment interpréter la filiation avec la motivation originale. Quel salut social est recherché aujourd'hui ? Celui de la société par l'Église ou celui de l'Église par la reconnaissance sociale ?

Sans être nouvelle, la formule du Congrès eucharistique international est à compter au nombre des manifestations religieuses et séculières contemporaines qui cherchent à répondre à la fois à la mondialisation des consciences et à l'individualisation du croire. Ces mégarassemblements sont l'occasion d'appartenir — pour un temps — à une communauté idéalisée, hors du temps et hors frontières. Par la force du nombre et sous la gouverne charismatique du meneur de foules, s'opère un passage de l'hétérogénéité des individus rassemblés à l'unité d'une foule ayant sa propre identité. Cette « transsubstantiation » du paradoxal au convergent, du bigarré à l'unifié, est la fonction même de l'effet de foule, nous apprend la psychologie collective. Cette «mise en spectacle» de la foi produit ivresse et réconfort : on imagine aisément à quel point il est rassurant et stimulant d'être partie prenante d'une masse dont on croit qu'elle nous ressemble, qu'elle pense comme nous et avec qui on prétend vivre les mêmes émotions au même moment. C'est ainsi que se construit une identité collective temporaire qui ne saurait exister à l'extérieur de l'expérience grégaire. Il s'agit d'un «corps à corps qui fait corps», pourrait-on dire. Sur ce point, le Congrès eucharistique n'est pas tellement différent d'un spectacle rock, d'une fête nationale ou d'un défilé de la fierté gaie.

Plus encore, ces événements sont l'occasion pour les chrétiens de se voir et d'être vus, d'envahir la cité sous l'œil intrigué des caméras de télévision, alors qu'ils se font d'ordinaire discrets. Dédouanée pour quelques jours, l'affirmation croyante peut facilement devenir exubérante. Il s'agit là d'une forme de transgression qui permet de renverser momentanément l'isolement vécu par les croyants en franchissant, sans les faire disparaître, les normes qui dictent les formes que doit prendre le témoignage de foi dans nos cultures sécularisées.

Du reste, l'effervescence et l'émotion vécues lors de ces manifestations tranchent si radicalement avec le quotidien des gens qui y participent et de l'Église qui l'organise, qu'on est en droit de se demander, à la suite de Durkheim, « si la violence de ce contraste [n'est] pas nécessaire pour faire jaillir la sensation du sacré sous sa forme première » et donner au participant « un sentiment plus vif de la double existence qu'il mène et de la double nature à laquelle il participe[16] ».

Toutefois, cette expérience de foule ne pourrait prendre sa pleine ampleur sans la présence des médias. En couvrant le rassemblement, télévisions, radios et journaux en font un événement. Au-delà des faits rapportés, le jeu du cadrage médiatique construit les réalités. L'attention de la caméra apporte le « salut social », l'homologation de ce qui est vécu — indépendamment des analyses proposées et des commentaires formulés. Les représentations de l'Église (symboles, acteurs, discours sur la société, positions théologiques, etc.), mises en scène sous le regard des médias à l'occasion de ces grandes célébrations, sont instituées comme des réalités sociales légitimes. Et les participants eux-mêmes sont dépendants de ce jeu médiatique, puisque la majorité vit le rassemblement les yeux rivés aux écrans géants en raison de l'étendue des lieux.

Au sein de ces rituels festifs se développe donc une forme particulière de religiosité produite par l'expérience du contraste, de l'extraordinaire, de la transgression. Toutefois, rien ne garantit que ce rapport « au sacré » permette de vivre *in extenso* la singularité chrétienne. En quoi la généralité

---

16. *Les formes élémentaires de la vie religieuse*, Quadrige/PUF, 1998, p. 313.

créée par l'effet de foule et les médias rejoint-elle l'universalité du christianisme ? Comment est-il possible, dans ces conditions, de se mettre à table et de célébrer ? L'expérience chrétienne se vit-elle sur le terrain de l'extraordinaire ou dans le défi de l'ordinaire des jours ? La communauté-fusion éphémère est-elle un véritable lieu de rencontre ? Et quelle Église se trouve ainsi « socialement instituée » ? Les défis qu'elle rencontre ne se trouvent-ils pas esquivés ? Bref, de quel salut s'agit-il ?

*Revue* Relations, *février 2008, « Eucharistie et société »*

POUR LA SUITE

# POUR LA SUITE

*André Gadbois*

Après avoir parcouru ces pages de questionnements et de bourgeonnement prometteur, de joyeuses étincelles sortent de ma mémoire en feu, montent dans la nuit, rejoignent les étoiles et me redonnent le goût de la route : ce bonheur de mes douze ans quand je me levais résolument à 6 heures du matin pour servir la messe de 6 heures 30 et que j'en recevais vingt sous ; cette fierté de mes quinze ans quand sur la rue j'encensais le saint sacrement durant l'ostentatoire procession de la Fête-Dieu ; cette audace de mes trente ans quand le Groupe du lundi faisait mémoire de Jésus « d'une manière débrouillarde et créatrice » dans un taudis ou un local d'entraide du quartier ; cette paix de mes soixante-quatre ans quand, depuis quinze ans, notre petite communauté se réunit autour de la table chez nous pour se souvenir de Lui autrement… une vieille table qui a servi pour changer les couches, pour faire les bulletins de mes élèves, pour bricoler avec nos enfants, pour discuter, partager des souffrances et libérer des soulagements, pour faire en gang la grande grille des mots croisés de *La Presse*, pour faire la bouffe et la déguster sans prendre le temps de regarder l'heure, et pour les grandes occasions de la vie. Je suis le résultat de toutes ces années et je ne renonce à rien : je ne regrette rien. Comme la Corse : souvent conquis, jamais soumis.

## Des échardes dans ma chair

Au cours des ans, de nombreuses échardes ont pénétré dans ma peau, et ma table de bois n'y est que pour très peu, tout comme les belles planches de pin que j'ai utilisées dans mon travail pendant vingt ans auprès des enfants en difficulté. Les échardes les plus douloureuses sont venues de mon Église, de cette institution que j'aime et dans laquelle je m'implique encore. Les pages précédentes les ont bien décrites. Quand elle exclut des personnes de la table de son Seigneur et qu'elle fabrique des pécheurs, quand elle éternise des rites qui ne devraient être que des suggestions de formes et de procédures, quand sa table — au lieu d'être pliante — devient de marbre et détermine des places réservées, quand elle se maquille pour séduire, quand elle fait passer le culte de l'adoration avant le combat pour la justice, quand elle déchire certaines pages de son grand Livre des deux testaments, quand elle met de l'eau dans son vin pour éviter de prendre nettement position en faveur des appauvris, quand elle se prive officiellement de pasteurs parce qu'ils sont mariés ou femmes, quand elle décide de fermer les yeux pour ne pas voir la réalité, alors de petits éclats de bois me meurtrissent le cœur.

# Un « messie » insoumis

« On ne connaît pas bien un homme tant qu'on n'a pas mangé à sa table, marché dans les rues où il marche, erré sur les places où il a aimé, dormi sous l'arbre où il rêvait.[17] » Nous savons — et Odette Mainville l'a bien décrit — comment Jésus a mangé à la table de tous et de toutes, surtout à celle des humbles, celle des gens d'en bas que la curie de son époque méprisait (*Jean* 7, 48-52). Nous savons comment, ni sédentaire ni refermé sur un monde religieux, il est allé à la rencontre des gens et s'est frotté à leur culture, reconnaissant en chacune d'elles des branches différentes du même arbre de Vie. Il a remis à leur vraie place les Temples, le formalisme, et tous les sabbats qui, comme des ronces, finissent par étouffer la mystique et ses élans printaniers. Plutôt que se faire adorer à la façon des empereurs et des gourous, il a voulu qu'on se souvienne de lui par la fraction du pain (ceci est mon corps, ma vie) et la coupe partagée (ceci est mon sang, ma vie), des outils d'amour et de réconciliation de tous et de toutes, des outils compromettants qui trop souvent sont devenus des rituels de sacristie… tout comme le Notre Père marmonné au salon mortuaire. Plutôt que se faire encenser et remarquer par sa tenue vestimentaire et sa cour, il a quitté la table, a noué un tablier à sa taille et a

---

17. Jean-François BEAUCHEMIN, *Ceci est mon corps*, Québec-Amérique, 2008, p. 21.

complètement scandalisé ses disciples en leur lavant les pieds. Ce Jésus, un doux insoumis à la Jean XXIII ! Un être sensible aux blessures des gens, soucieux de faire lever en eux une aube nouvelle malgré la peur et la pesanteur des traditions et des intérêts en compétition.

## Église, sacrement du Christ ?

Aux époques au cours desquelles ses représentants ont osé écarter de leur vie la bravade, la recherche de la suprématie et de la puissance, et les manigances, et qu'ils ont dressé la table pliante pour nourrir l'espérance meurtrie des hommes et des femmes sur la place publique ou dans le champ, l'institution ecclésiale qui est le sacrement du Christ au milieu des cultures a contribué à les rapprocher et à les faire avancer vers la Terre promise. Qu'en est-il à notre époque ? Qu'y a-t-il de chrétien et qu'y a-t-il de romain (de curial ?) dans la façon officielle de dresser la table ? Et dans ce Congrès eucharistique qui s'annonce et dont le premier but est de « rendre un culte public et social à Jésus », quelle sera la place de la subversion évangélique et celle de la mièvre doctrine qui cherche à enrégimenter ? Par ses choix, son discours, ses manières d'être présente, quelle idée ou image ou présence de Dieu l'Église officielle catholique romaine met-elle dans la tête de ses contemporains ? Quel est l'impact de son vocabulaire (transsubstantiation, recevoir la sainte communion, adorer la présence réelle, LE président et jamais la présidente, le pain des anges, Son Éminence, etc.) tellement éloigné de la vie quotidienne et des préoccupations actuelles ? « Comment s'approcher d'un être si soucieux de l'humanité [Jésus] mais que l'ample manteau de Dieu cache à nos yeux ? [18] » Est-ce possible que le Congrès eucharistique de Québec, organisé comme on le sait, évite le sécurisant effet de foule (j'allais écrire effet de cocon) et les apparences d'une volonté de reconquête de la belle place perdue ? Ce rassemblement osera-t-il crier les paroles d'Amos (chap. 5), d'Isaïe (chap. 58) et de Jérémie (chap. 7) et leur donner des bras ?

## En attente de...

Des textes qui précèdent se dégagent clairement quelques traits d'une table eucharistique nécessaire pour la vie du monde : une table joyeuse, invitante et ouverte (sans exclusions), une table qui permet de mémoriser les prénoms (parfois les tablées seront nécessaires), une table qui reçoit l'apport de chacun et chacune, une table qui favorise le partage de la Parole et du Pain, une table pliante dont les pattes sont plantées dans le quartier, une table qui prend au sérieux le mémorial du repas de Jésus, une table qui envoie tous ses invités sur le trottoir pour qu'ils s'y laissent déranger par le Souffle du Ressuscité. Cette table ressemble

---

18. Jean-François BEAUCHEMIN, *Ceci est mon corps*, p. 193.

étrangement à celle qui a permis à deux disciples déçus et inquiets de s'ouvrir les yeux sur les événements alors qu'ils marchaient vers Emmaüs. Relevés par cet Étranger, ils sont partis vers la ville et se sont donné une telle table pour s'épauler dans leur travail de guérison et de réconciliation et dans leur « action en faveur de la justice et la participation à la transformation du monde[19] ». Pourquoi ne pas les imiter ? D'ailleurs, ici et là se dressent déjà discrètement de telles tables : des hommes et des femmes viennent de nous le dire. Faut-il attendre davantage, attendre les résultats de comités de travail, attendre des directives ? Si Moïse avait attendu, si Jésus avait attendu, si Jean XXIII avait attendu, si Mgr Romero avait attendu… « Ils ne savaient pas que c'était impossible, alors ils l'ont fait » (inscription murale en mai 68).

## Si on s'y mettait

Un auteur athée cité par Jean Cardonelle disait : « Le reproche que je fais aux chrétiens, ce n'est pas leur foi, c'est leur étrange vertu d'accommodement[20] ». Est-ce cette « vertu » d'accommodement qui, profitant au cours des siècles du succès de l'entreprise romaine en croissance, a sou-

---

19. Synode des évêques, *La justice dans le monde*, fin de l'introduction, 1971, cité par Pedro Arrupe dans « Dimension sociale de l'eucharistie ».

20. Jean Cardonnel, *Non à l'intolérable*, EPI, 1968, p. 58.

vent éteint « la fulgurance du message évangélique » (Jean-Claude Guillebaud), a institué un clergé d'avocats chargés de nous défendre auprès de Dieu, a fait de la barque de Pierre un riche et puissant état, a transformé le pain de la table en petite rondelle blanche et aplatie, a remplacé la salle et sa table intime par un temple majestueux et une imposante table à laquelle un seul prend place pour se faire servir, a dressé une liste d'indésirables à cette table, a réussi à implanter le culte de l'adoration du Corps de Celui qui l'a donné en nourriture ? S'accommoder, se faire à l'idée doucement, s'habituer… puis fermer les yeux, et les oreilles, puis laisser aller les choses, laisser les choses s'écarter, ne pas prendre position finalement, oublier les prénoms. Nous voyons ce que nous avons le goût de « voir ». Pourtant, rien n'est aussi inquiétant qu'un homme, qu'une femme qui s'ouvre les yeux ou revoit (*Jean* 9) car on ne sait pas où il nous entraînera, on ne sait pas où je serai entraîné, et nous devrons prendre position et assumer, je devrai prendre position et assumer, aller au bout de nos intuitions et de mes intuitions, arrêter d'attendre de…

# … ET ENCORE

*André Gadbois*

> 1. « *Le Dieu de Jésus correspond si peu à ce que les hommes attendent d'un dieu, que les christianismes ne peuvent éviter de se laisser aller à le corriger et à le reconstruire selon les normes reçues en matière de dieu* [21]. »

Je suis en train de me demander à quelles normes je me réfère (nous nous référons) pour dresser la table et faire mémoire de Jésus, présence nourrissante et parole de Dieu… Se pourrait-il que des normes « inconscientes » nous guident, rendent la table sacrée et à des kilomètres de celle d'Emmaüs ; une table liturgiquement impeccable sans doute mais étrangère à ce qu'elle veut dire, une table ambiguë ?

En matière de dieu, il faut des dizaines de petits détails qui ont été imposés et accumulés au cours des siècles, des dizaines de comportements aussi…

---

21.   Jacques POHIER, *Quand je dis Dieu*, Seuil, 1977, p. 225.

Comment dresser la table pour « plaire » au Dieu de Jésus et contribuer à sa révélation dans un langage accessible et signifiant ?

> 2. « *Solidarité je t'appelle, inonde-nous de ta clarté, prête-nous ta lucidité, solidarité je t'implore, sois notre guide jusqu'au but, sans ta lumière point de salut. Nous avons besoin de chacun de nous* [22]. »

Une sorte de prière, ce texte de Jacques Michel. Un cri comme un psaume, un appel comme ceux des prophètes. Que j'ai crié et gueulé les mots de cette chanson à la table et dans la rue ! Car elle correspondait dans ma « jeunesse » et correspond plus que jamais au refus de me mettre à genoux (sauf pour laver les pieds d'un blessé) et à ma décision d'être-debout-avec-d'autres. Solidaire de l'entreprise de Dieu dont les champs, avant d'être asphaltés pour devenir centres commerciaux, sont chantiers pour faire pousser le blé.

Comment prolonger ma table, notre table, pour éviter que nous mangions au nez des pauvres, pour éviter que notre parole soit mise en doute par ceux et celles que le mépris des puissants habille ? Comment quitter les belles paroles et l'abstraction ?

---

22. Jacques MICHEL, *Nous avons besoin de chacun de nous*, disque SOS.

> *3. « Tant qu'on cherche exclusivement l'origine des formes de narration dans les conditions culturelles de l'époque et non pas dans les couches profondes de la psyché humaine, on ne peut vraiment comprendre le caractère symbolique et poétique de certains récits bibliques... car leur "réalité" ne réside pas pour l'essentiel dans des faits extérieurs, mais dans des expériences intérieures* [23]. *»*

Les deux Testaments débordent de symboles et de poésie, car ils parlent d'amour et de colère, de tendresse et de dureté, d'espoirs et de limites, de foi et de doute, de fidélité et de trahison... des expériences intérieures souvent difficiles à décrire et combien rafraîchissantes quand nous réussissons à nous en nourrir et abreuver. Notre cœur est tout chaud, notre cœur brûle quand nous sommes en amour, en amitié, en solidarité, en communion. On ne la reçoit pas, la communion, on la crée, on la construit. On la construit par le partage et elle nous enivre comme à la Pentecôte.

Comment notre table favorise-t-elle le plaisir d'être ensemble et de vivre la communion ? Comment nous met-elle en communion avec la nature, les peuples, les chercheurs de Dieu des autres religions, l'univers, le Souffle du Ressus-

---

23. Eugen DREWERMANN, *Fonctionnaires de Dieu*, Albin Michel, 1993, p. 642.

cité ? Comment nourrit-elle notre espérance quand autour de nous existent des dizaines de raisons de désespérer ? Notre table permet-elle qu'en dedans ce soit tout chaud ? Et peut-elle, à l'occasion, ajouter des panneaux pour « recevoir beaucoup de visite » ?

# TABLE DES MATIÈRES

## Les questions : Eucharistie et les femmes ; Eucharistie et le langage ; Eucharistie et le pardon ; L'Arche du congrès ; Congrès : événement médiatique

## Pour la suite